GUSTAVE FLAUBERT

CONTES

AVEC UNE NOTICE BIOGRAPHIQUE, UNE NOTICE LITTÉRAIRE, DES NOTES EXPLICATIVES, DES ILLUSTRATIONS DOCUMENTAIRES, UN QUESTIONNAIRE ET DES SUJETS DE COMPOSITIONS FRANÇAISES PAR

J. VOILQUIN,

PROFESSEUR AU LYCÉE SAINT-LOUIS

CLASSIQUES ILLUSTRÉS VAUBOURDOLLE

LIBRAIRIE HACHETTE

79, BOULEVARD SAINT-GERMAIN, PARIS

L'Encyclopédie Sonore

●

FLAUBERT. Un cœur simple.
1 disque 33 t. 21 cm Nº 230 E 000

●

HACHETTE

Couverture illustrée :
Photo Nadar.

NOTICE SUR FLAUBERT

GUSTAVE FLAUBERT est né à Rouen, le 12 décembre 1821. De ses ascendances champenoises, par son père, et normandes, par sa mère, il n'y a pas de conclusion nette à tirer. Toute son enfance s'écoula dans le cadre de l'Hôtel-Dieu, où son père était médecin-chef. Déjà apparaît dans l'enfant le goût passionné de la littérature, qui ne le quittera à aucun moment de sa vie. C'est à cette époque qu'il se lie avec Ernest Chevalier, Louis Bouilhet et Alfred Le Poittevin — ces deux derniers furent pour Flaubert des amis très chers. En 1840, il vint à Paris pour faire son droit, mais quitta peu sa chambre d'étudiant, consacrant de longues heures à la méditation et à la rêverie. En 1846, après la mort de son père et de sa sœur, il revient en Normandie et s'installe dans sa propriété de Croisset près de Rouen. Sa vie est désormais fixée : il se consacrera tout entier aux lettres. Nulle existence n'est plus unie; sédentaire, malgré un goût très vif pour les voyages, il n'interrompra son travail que pour une courte échappée en Bretagne avec Maxime du Camp (1846) et une longue randonnée en Orient, avec le même ami (1849-1851). Il est facile de retrouver dans son œuvre le souvenir de l'enchantement qu'il éprouva à remonter le Nil, à parcourir la Palestine et la Syrie. Il revint par Constantinople et Athènes. En avril-juin 1858 Flaubert, pour préparer son roman de *Salammbô*, fit un voyage en Tunisie.

Dès lors, la vie sans incidents de Flaubert se confond avec la préparation de ses livres. Épris de perfection, scrupuleux à l'extrême sur les questions de style et de forme, menant l'existence d'un bénédictin des lettres, il s'astreint à une règle de vie sévère, contraire aux exigences de son tempérament, se confinant dans son cabinet de travail d'où il a vue sur la Seine et sur son jardin. Une journée à Rouen, quelques semaines à Paris chaque année : c'étaient là toutes ses distractions. Il y avait noué des amitiés et, au dîner Magny, il rencontrait Sainte-Beuve, Théophile Gautier, les frères de Goncourt, Gavarni, Taine. Le *Journal* des Goncourt nous a laissé de vivantes relations de ces réunions. L'amitié de George Sand et la correspondance qui en résulta adoucirent les dernières années de Flaubert. Il était naturellement misanthrope et porté à juger sévèrement l'humanité, il la jugeait composée presque exclusivement de sots, plus encore que de méchants. Cette tendance s'aggrava avec l'âge. La guerre de 1870 le ramena brutalement, lui si épris d'art pur, à la réalité et à ses exigences. Il mourut jeune encore, le 8 mai 1880, à l'âge de cinquante-huit ans.

Avec lui disparaissait un des plus authentiques artistes de notre littérature. Il laissait une œuvre de dimensions modestes, en raison de ses perpétuels scrupules, mais d'une haute valeur, où il avait su faire alterner les œuvres d'inspiration réaliste et les œuvres d'inspiration romantique, si l'on veut, sous ce qualificatif, faire entrer l'amour des paysages exotiques, le goût du bizarre et de l'extraordinaire.

En 1856, il avait publié dans la Revue de Paris *Madame Bovary*, qui parut bientôt en volume. Flaubert y peignait autour de son héroïne, Emma Bovary, les mœurs de la province française. Deux petits bourgs, Tostes et Yonville-l'Abbaye lui permettaient de grouper des personnages moyens par le cœur et l'intelligence : Emma, Charles Bovary, Léon, Rodolphe, le père Rouault, Binet, Lheureux, l'abbé Bournisien, le pharmacien Homais. " Ils sont dix, aussi vivants les uns que les autres ", dit E. Faguet. Le réalisme, se dégageant du romanesque, était fondé.

En 1862 parut *Salammbô*, roman historique ayant pour cadre Carthage. Flaubert y donnait entièrement satisfaction à son goût de l'Orient. Il avait amassé pour écrire cette œuvre, parfois surchargée de couleur locale, une documentation extraordinaire. On connaît le sujet : la répression par Hamilcar Barca de la révolte des mercenaires. L'œuvre a quelques faiblesses : elle présente de la monotonie; elle est peu " centrée " sur un personnage principal; elle est trop abondante en détails plutôt curieux que révélateurs, mais elle contient de grandes beautés.

Flaubert, avec l'*Éducation Sentimentale* (1869) revient au réalisme. Le sujet de ce roman était vaste : Flaubert a voulu y étudier, chez un homme, Frédéric Moreau, la même absence de volonté, la même veulerie de caractère qu'il avait déjà traitées chez Madame Bovary. Exactement, la vie de son personnage principal aboutit au néant. A côté de Frédéric, il a peint longuement, avec une sympathie non dissimulée, une bourgeoise calme, équilibrée, apte à faire naître autour d'elle les sentiments les plus délicats : Madame Arnoux. Enfin, il s'est proposé de peindre toute une génération, celle qui atteint à la majorité vers 1848. Il ne nous épargne pas le récit de ses échecs et de ses déceptions. Déjà on saisit mieux qu'en *Madame Bovary* le pessimisme amer et sarcastique qui gâtera les dernières œuvres de Flaubert.

Le dessein de la *Tentation de Saint Antoine*, qui parut dans sa rédaction définitive en 1874, était ambitieux. Le second Faust lui en avait probablement inspiré l'idée. Il s'agissait de montrer ce saint personnage exposé à toutes les formes de sollicitations — celles de la chair, de l'esprit et de la domination. Bien que le sujet ait fourni à Flaubert quelques belles pages, on ne peut dire qu'il en soit venu à bout d'une manière parfaitement satisfaisante. " La pensée a peu d'originalité et de force ", dit Faguet. En 1877, paraissent *Trois Contes*. Depuis longtemps, Flaubert possédé d'une sorte de manie misanthropique collectionnait avec une joie un peu malsaine les preuves de la bêtise humaine. Cette enquête féroce s'épanouit dans *Bouvard et Pécuchet*, qui parut après la mort de l'écrivain.

Il serait injuste de ne pas mentionner quelques écrits de moindre importance, comme *Par les Champs et par les Grèves*, une pièce de théâtre, *Le Candidat*, qui n'ajoute rien à la gloire de Flaubert et qui fut représentée en 1874 sans le moindre succès.

Pour qui veut connaître en détail la personnalité de Flaubert, la *Correspondance* de l'écrivain fournira une ample moisson de détails précieux. Louise Colet, George Sand, Théophile Gautier, Maxime du Camp, les frères de Goncourt, Zola, Guy de Maupassant ont été du nombre de ses correspondants. Mais c'est surtout dans ses lettres à George Sand qu'il a exprimé avec le plus de liberté confiante ses violences, ses colères, son amour si profond des lettres, son intransigeance et sa foncière honnêteté.

La place de Flaubert dans nos lettres est et demeurera considérable. Il est le véritable créateur du *réalisme* : Edmond de Goncourt, A. Daudet, Zola et Guy de Maupassant procèdent de lui. Sa vision pessimiste du monde a influencé nombre d'écrivains aux environs des années 1880.

BIBLIOGRAPHIE

ÉDITIONS DE L'ŒUVRE DE GUSTAVE FLAUBERT.

Œuvres complètes de Gustave Flaubert, *Édition ne varietur*, *définitive*, *d'après les manuscrits originaux*. L. H., May 1901.
Édition Charpentier, 12 volumes, in-12.
Édition Conard, 1910, 18 vol. in-18.
Éditions du Centenaire, 1928, Librairie de France.
Correspondance, 1884-92, 4 vol. in-12, édition Charpentier.
R. Descharmes, *Nouvelle édition de la Correspondance*, 1922.

ÉTUDES SUR FLAUBERT.

Albalat (A.) : *Gustave Flaubert et ses amis.*
Albalat (A.) : *Le travail du style*, Colin.
Bertrand (Louis) : *Gustave Flaubert*, 1912.
Brunetière (F.) : *Gustave Flaubert*, R. D. M., 15 juin 1880.
Descharmes (R.) : *Flaubert, sa vie, son caractère, ses idées avant 1857*, Ferroud, 1909.
Dumesnil (R.) : *Flaubert*, nouvelle édition, 1935.
Dumesnil (R.) : *Flaubert, son hérédité, son milieu*, Soc. franç., 1905.
Faguet (É.) : *Gustave Flaubert*, Hachette, 1899.
Ferrère (E.-L.) : L'*Esthétique de Gustave Flaubert*, 1913.
Gaultier (J. de) : *La philosophie du bovarysme*, 1911.
Gaultier (J. de) : *Le génie de Flaubert*, 1913.
Maynial (E.) : *La jeunesse de Flaubert*, 1914.
Sainte-Beuve : *Causeries du Lundi*, XII, 1857.
— *NouveauxLundis*, IV, 1863-72.
Seillière (E.) : *Le romantisme des réalistes, G. Flaubert*, 1914.
Thibaudet (A.) : *Gustave Flaubert, sa vie, ses œuvres, son style*, nouvelle édition, 1935.

BIBLIOGRAPHIE DES TROIS CONTES.

SUR LES TROIS CONTES :
Drumont (E.) : *La Liberté du 23 mai 1877*.
Banville (Th. de) : *Le National du 14 mai 1877*.
Édition Conard : *Revue de la presse à propos de chaque ouvrage.*

UN CŒUR SIMPLE :
Ferrère (E.-L.) : *L'Esthétique de Flaubert*, 1913.
Grappin (H.) : *Le mysticisme de Flaubert*, Revue de Paris, 1912.

Saint Julien :

Descharmes (R.) : *Saint Julien l'Hospitalier*, Revue de bibl. et d'iconographie.

Giraud (J.) : *La genèse d'un chef-d'œuvre : La légende de Saint Julien l'Hospitalier*, R. H. L., 1919.

Huet (G.) : *La légende de Saint Julien l'Hospitalier*, M. de F., 1913.

Jasinski (R.) : *Sur le Saint Julien l'Hospitalier* de Gustave Flaubert. Revue d'Histoire de la Philo. et d'Hist. gén. de la Civilisation. Gamber, 15 avril 1935.

Langlois (E.-H.) : *Mémoire sur la peinture sur verre et quelques vitraux remarquables des églises de Rouen*, 1823.

Lecointre-Dupont : *La légende de Saint Julien le Pauvre*, 1839.

Légende dorée : *Saint Julien par Saint Antonin.*

Hérodias.

Évangile selon Saint Matthieu, chap. III, XI, XIV.

Évangile selon Saint Marc, chap. I, VI.

Évangile selon Saint Luc, chap. I, III, VII.

Évangile selon Saint Jean, chap. I, III.

Ferrière, L'*Esthétique de Flaubert*, appendice II, *Hérodias.*

NOTICE SUR LES CONTES

Il semble que Flaubert n'ait attaché aux *Trois Contes* qu'une médiocre importance. C'est du moins ce qui résulte de la Correspondance. Le 3 octobre 1875, il écrit à une amie, Mme Roger des Genettes : " ... Quant à la littérature, je ne crois plus en moi, je me trouve vide, ce qui est une découverte peu consolante. *Bouvard et Pécuchet* étaient trop difficiles, j'y renonce; je cherche un autre roman, sans rien découvrir. En attendant, je vais me mettre à écrire la Légende de " Saint Julien l'Hospitalier ", uniquement pour m'occuper à quelque chose, pour voir si je peux faire encore une phrase, ce dont je doute. " En décembre de la même année, dans une lettre à George Sand, il parle de " sa petite bêtise moyennageuse ". En 1876, il signale la difficulté qu'il éprouve à mettre en train son *Histoire d'un Cœur Simple.* Il connaît à nouveau les affres de la composition littéraire, se plaint d'avoir travaillé pendant seize heures et d'avoir avec peine terminé en deux jours la première page. Pour se documenter, il fait un petit voyage à Pont-l'Évêque et à Honfleur. Mais l'élan n'y est pas. C'est la même année qu'il conçoit *Hérodias*. " Savez-vous ce que j'ai envie d'écrire après cela? écrit-il à Mme des Genettes (sans date). L'histoire de Saint Jean-Baptiste. " *Un Cœur Simple* n'est terminé qu'en septembre 1876. En octobre, *Hérodias* s'achève, mais coûte encore à Flaubert de laborieux efforts jusqu'en février 1877.

Laissons la parole à Flaubert, qui résume ainsi *Un Cœur Simple*[1].

" L'Histoire d'un Cœur Simple est tout bonnement le récit d'une vie obscure, celle d'une pauvre fille de campagne, dévote mais mystique, dévouée sans exaltation et tendre comme du pain frais. Elle aime successivement un homme, les enfants de sa maîtresse, un neveu, un vieillard qu'elle soigne, puis son perroquet; quand le perroquet est mort, elle se console en le faisant empailler. Cela n'est nullement ironique, comme vous le supposez, mais au contraire très sérieux et très triste, je veux apitoyer, faire pleurer les âmes sensibles, en étant une moi-même. "

Cette nouvelle appartient à la veine réaliste de Flaubert. L'écrivain a connu chez des amis de Trouville la servante à laquelle il a donné le nom de Félicité et la maîtresse de Félicité était une de

1. Lettre à Mme Roger des Genettes du 19 juin 1876.

ses cousines. L'accident qui arrive à la servante est la transposition littéraire de l'accident dont Flaubert avait été victime en janvier 1844 sur la route de Pont-l'Évêque à Honfleur, quand il fut frappé par une sorte de congestion cérébrale[1]. Son souci d'exactitude est tel qu'il a pendant un mois sur sa table un perroquet empaillé. Il le garde " afin de s'emplir l'âme du perroquet ".

Flaubert s'imaginait qu'il passerait pour un homme sensible. Nous ne partageons pas tout à fait son avis. Ses théories littéraires, son tempérament, un manque évident de simplicité devant la vie, l'empêchaient de laisser naître en lui l'émotion et de la communiquer au lecteur. Sa servante, il l'a vue et étudiée du dehors; il n'a pas omis les traits grotesques. Aussi n'a-t-il pas atteint la profondeur d'émotion que plus de naturel lui eût donnée, s'il eût rendu tout uniment la beauté morale de cette existence de dévouement.

Avec la *Légende de Saint Julien*, Flaubert apparaît plus à son aise. Il n'est plus prisonnier du réalisme. L'éloignement dans le temps, la richesse des décors à brosser, le côté décoratif de l'ouvrage agréent à son tempérament. Il pouvait s'évader du monde contemporain qu'il abhorrait et vivre pour quelque temps à une époque qui était peut-être plus cruelle, mais qu'il pouvait supposer plus forte et plus belle. Son ironie même ne cherche plus l'occasion de s'exercer. Son réalisme se poétise en s'appliquant à ces temps lointains : les personnages qui ont la simplicité des saints de vitrail sont réduits à quelques traits essentiels et le conteur a tout loisir d'évoquer les châteaux du moyen âge, les chasses éperdues, les splendeurs de l'Orient, tandis que le miracle qui termine le récit lui offrait l'occasion d'une magnifique progression et d'un envol prodigieux dans le ciel du Christ venu apporter à Julien son pardon.

Sans doute, on ne saurait faire de Flaubert un croyant du moyen âge, ni un narrateur de la *Légende Dorée*. Néanmoins son émotion, ici fort vive, est communicative, bien que sa source soit dans le sentiment artistique plus que dans la conviction religieuse.

Avec *Hérodias*, Flaubert craignait de retomber dans les effets produits par *Salammbô*, car " ses personnages étaient de même race et c'était un peu le même milieu[2] ". Mais une nouvelle historique n'est pas un roman; les deux techniques diffèrent profondément. Tout compte fait, il voulut revivre une fois encore le rêve oriental qui a séduit tant d'écrivains français du XIXe siècle et qui l'a obsédé pendant toute sa vie. Ici, Flaubert était tenté par le paysage qu'il a si magnifiquement rendu; par les personnages,

1. Maynial, *Anthologie des romanciers du XIXe s.*, Hachette. — 2. Lettre à Mme Roger des Genettes, 27 septembre 1876.

Romains cupides et brutaux, Juifs disputeurs et subtils. Hérodias et Salomé mettaient sur le drame sanglant une note de volupté orientale et de cruauté perfide. Cette intrigue d'amour et d'ambition, dont la victime était Iaokanann ou Saint Jean-Baptiste, devait par sa rapidité même atteindre à une puissante intensité. N'était-on pas, au surplus, au moment de l'histoire où le christianisme à peine entrevu se heurtait aux sombres résistances du judaïsme et aux appréhensions politiques de Rome ? Par l'éclat des couleurs, par l'évocation intense des milieux juifs, par la poésie brutale de l'intrigue, *Hérodias* peut être placé à côté des meilleures pages de *Salammbô*.

Les critiques ont affecté de n'accorder aux *Trois Contes* qu'une attention distraite. Pourtant ce recueil résume assez bien les tendances essentielles de Flaubert : *Un Cœur Simple*, c'est l'effort héroïque de l'écrivain pour se soumettre au réalisme qu'intérieurement il n'aime pas, mais qu'il estime indispensable comme discipline artistique. *Saint Julien* et *Hérodias* sont deux évasions, l'une dans le moyen âge, l'autre dans l'antiquité orientale. Et à chaque page nous retrouvons le même souci du style, la même préoccupation de soumettre ses phrases à l'épreuve de la déclamation, du " gueuloir ". Ces récits, parmi d'autres ouvrages, plus approfondis, ne sont pas indignes de l'auteur de *Madame Bovary* et de *Salammbô*.

UN CŒUR SIMPLE

I

PENDANT un demi-siècle, les bourgeoises de Pont-l'Évêque[1] envièrent à Mme Aubain sa servante Félicité.

Pour cent francs par an, elle faisait la cuisine et le ménage, cousait, lavait, repassait, savait brider un cheval, engraisser les volailles, battre le beurre, et resta fidèle à sa maîtresse — qui cependant n'était pas une personne agréable.

Elle avait épousé un beau garçon sans fortune, mort au commencement de 1809, en lui laissant deux enfants très jeunes avec une quantité de dettes. Alors elle vendit ses immeubles, sauf la ferme de Touques et la ferme de Geffosses, dont les rentes montaient à 5 000 francs tout au plus, et elle quitta sa maison de Saint-Melaine pour en habiter une autre moins dispendieuse[2], ayant appartenu à ses ancêtres et placée derrière les halles.

Cette maison, revêtue d'ardoises, se trouvait entre un passage et une ruelle aboutissant à la rivière. Elle avait intérieurement des différences de niveau qui faisaient trébucher. Un vestibule étroit séparait la cuisine de la *salle*[3] où Mme Aubain se tenait tout le long du jour, assise près de la croisée dans un fauteuil de paille. Contre le lambris[4], peint en blanc, s'alignaient huit chaises d'acajou. Un vieux piano supportait, sous un baromètre, un tas pyramidal de boîtes et de cartons. Deux bergères[5] de tapisserie flanquaient la cheminée en marbre jaune et de style Louis XV. La pendule, au milieu, représentait un temple de Vesta[6]; et tout l'appartement sentait un peu le moisi, car le plancher était plus bas que le jardin.

Au premier étage, il y avait d'abord la chambre de " Madame ", très grande, tendue d'un papier à fleurs pâles, et contenant le portrait de " Monsieur " en costume de muscadin[7]. Elle communiquait

1. Sous-préfecture du Calvados sur la Touques. — 2. *Moins dispendieuse* : occasionnant moins de dépenses. — 3. *Salle* : pièce spacieuse du rez-de-chaussée (salle basse) où l'on reçoit les visiteurs. — 4. *Lambris* : revêtement en bois sur les murs de la salle jusqu'à hauteur d'appui. — 5. *Bergère* : fauteuil large et profond. — 6. *Temple de Vesta* : temple rond de cette divinité qui subsiste encore à Rome. — 7. *Muscadin* : nom donné sous la Révolution aux élégants royalistes.

avec une chambre plus petite, où l'on voyait deux couchettes d'enfants, sans matelas. Puis venait le salon, toujours fermé, et rempli de meubles recouverts d'un drap. Ensuite un corridor menait à un cabinet d'étude; des livres et des paperasses garnissaient les rayons d'une bibliothèque entourant de ses trois côtés un large bureau de bois noir. Les deux panneaux en retour disparaissaient sous des dessins à la plume, des paysages à la gouache[1] et des gravures d'Audran[2], souvenirs d'un temps meilleur et d'un luxe évanoui. Une lucarne, au second étage, éclairait la chambre de Félicité, ayant vue sur les prairies.

Elle se levait dès l'aube, pour ne pas manquer la messe, et travaillait jusqu'au soir sans interruption; puis, le dîner étant fini, la vaisselle en ordre et la porte bien close, elle enfouissait la bûche sous les cendres et s'endormait devant l'âtre, son rosaire[3] à la main. Personne, dans les marchandages, ne montrait plus d'entêtement. Quant à la propreté, le poli de ses casseroles faisait le désespoir des autres servantes. Économe, elle mangeait avec lenteur et recueillait du doigt sur la table les miettes de son pain, un pain de douze livres, cuit exprès pour elle, et qui durait vingt jours.

En toute saison elle portait un mouchoir d'indienne[4] fixé dans le dos par une épingle, un bonnet lui cachant les cheveux, des bas gris, un jupon rouge et par-dessus sa camisole un tablier à bavette, comme les infirmières d'hôpital.

Son visage était maigre et sa voix aiguë. A vingt-cinq ans, on lui en donnait quarante. Dès la cinquantaine, elle ne marqua plus aucun âge; et, toujours silencieuse, la taille droite et les gestes mesurés, semblait une femme en bois, fonctionnant d'une manière automatique.

1. *Gouache* : peinture dans laquelle on emploie des couleurs pâteuses, détrempées dans l'eau gommée et miellée. — 2. *Audran* : la famille des Audran a fourni plusieurs graveurs célèbres, dont le plus connu, Gérard, vivait au XVIIe siècle. — 3. *Rosaire* : grand chapelet. — 4. *Indienne* : cotonnade primitivement fabriquée aux Indes; *mouchoir*, ici sorte de fichu.

II

Elle avait eu, comme une autre, son histoire d'amour.

Son père, un maçon, s'était tué en tombant d'un échafaudage. Puis sa mère mourut, ses sœurs se dispersèrent; un fermier la recueillit et l'employa toute petite à garder les vaches dans la campagne. Elle grelottait sous des haillons, buvait à plat ventre l'eau des mares, à propos de rien était battue, et finalement fut chassée pour un vol de trente sols, qu'elle n'avait pas commis. Elle entra dans une autre ferme, y devint fille de basse-cour, et, comme elle plaisait aux patrons, ses camarades la jalousaient.

Un soir du mois d'août (elle avait alors dix-huit ans), ils l'entraînèrent à l'assemblée[1] de Colleville. Tout de suite elle fut étourdie, stupéfaite par le tapage des ménétriers[2], les lumières dans les arbres, la bigarrure des costumes, les dentelles, les croix d'or, cette masse de monde sautant à la fois. Elle se tenait à l'écart modestement, quand un jeune homme d'apparence cossue[3], et qui fumait sa pipe les deux coudes sur le timon d'un banneau[4], vint l'inviter à la danse. Il lui paya du cidre, de la galette, un foulard, et, s'imaginant qu'elle le devinait, offrit de la reconduire.....

La résistance de Félicité exaspéra l'amour de Théodore, si bien que pour le satisfaire (ou naïvement peut-être) il proposa de l'épouser. Elle hésitait à le croire. Il fit de grands serments.

Bientôt il avoua quelque chose de fâcheux : ses parents, l'année dernière, lui avaient acheté un homme[5]; mais d'un jour à l'autre on pourrait le reprendre; l'idée de servir l'effrayait. Cette couardise[6] fut pour Félicité une preuve de tendresse; la sienne en redoubla. Elle s'échappait la nuit, et, parvenue au rendez-vous, Théodore la torturait avec ses inquiétudes et ses instances.

Enfin, il annonça qu'il irait lui-même à la Préfecture prendre des informations et les apporterait dimanche prochain, entre onze heures et minuit.

Le moment arrivé, elle courut vers l'amoureux.

A sa place, elle trouva un de ses amis.

1. *Assemblée* : fête locale à la campagne. — 2. *Ménétrier* : violoniste de village. — 3. *Cossue* : qui indique une large aisance. — 4. *Banneau* : sorte de tombereau. — 5. *Acheter un homme* : payer un remplaçant pour le service militaire. — 6. *Couardise* : lâcheté.

Il lui apprit qu'elle ne devait plus le revoir. Pour se garantir de la conscription[1], Théodore avait épousé une vieille femme très riche, Mme Lehoussais, de Touques.

Ce fut un chagrin désordonné. Elle se jeta par terre, poussa des cris, appela le bon Dieu, et gémit toute seule dans la campagne jusqu'au soleil levant. Puis elle revint à la ferme, déclara son intention d'en partir; et, au bout du mois, ayant reçu ses comptes, elle enferma tout son petit bagage dans un mouchoir et se rendit à Pont-l'Évêque.

Devant l'auberge, elle questionna une bourgeoise en capeline[2] de veuve, et qui précisément cherchait une cuisinière. La jeune fille ne savait pas grand'chose, mais paraissait avoir tant de bonne volonté et si peu d'exigences, que Mme Aubain finit par dire :

" Soit, je vous accepte! "

Félicité, un quart d'heure après, était installée chez elle.

D'abord elle y vécut dans une sorte de tremblement que lui causaient " le genre de la maison " et le souvenir de " Monsieur ", planant sur tout! Paul et Virginie[3], l'un âgé de sept ans, l'autre de quatre à peine, lui semblaient formés d'une matière précieuse; elle les portait sur son dos comme un cheval, et Mme Aubain lui défendit de les baiser à chaque minute, ce qui la mortifia[4]. Cependant elle se trouvait heureuse. La douceur du milieu avait fondu sa tristesse.

Tous les jeudis, des habitués venaient faire une partie de boston[5]. Félicité préparait d'avance les cartes et les chaufferettes. Ils arrivaient à huit heures bien juste et se retiraient avant le coup de onze.

Chaque lundi matin, le brocanteur qui logeait sous l'allée étalait par terre ses ferrailles. Puis la ville se remplissait d'un bourdonnement de voix, où se mêlaient des hennissements de chevaux, des bêlements d'agneaux, des grognements de cochons, avec le bruit sec des carrioles dans la rue. Vers midi, au plus fort du marché, on voyait paraître sur le seuil un vieux paysan de haute taille, la casquette en arrière, le nez crochu, et qui était Robelin, le fermier de Geffosses. Peu de temps après, c'était Liébard, le fermier de Touques, petit, rouge, obèse, portant une veste grise et des houseaux[6] armés d'éperons.

Tous deux offraient à leur propriétaire des poules ou des fromages. Félicité invariablement déjouait leurs astuces[7], et ils s'en allaient pleins de considération pour elle.

1. *Conscription* : tirage au sort en vue du service militaire; les hommes mariés ne partaient pas pour l'armée. — 2. *Capeline* : coiffure de femme couvrant la tête et les épaules. — 3. *Paul et Virginie* : le roman de Bernardin de Saint-Pierre (1787) a fourni ces deux prénoms. — 4. *Mortifia* : humilia. — 5. *Boston* : jeu de cartes qui se joue à quatre avec cinquante-deux cartes. — 6. *Houseaux* : sorte de guêtres. — 7. *Astuces* : ruses.

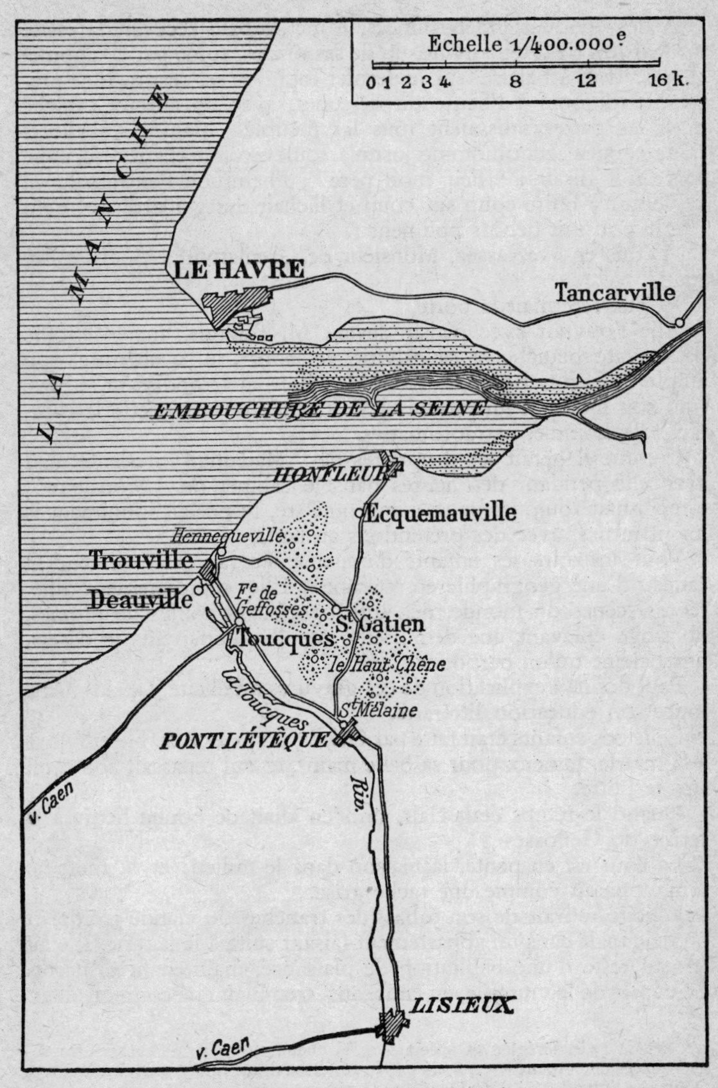

CARTE DES ENVIRONS DE PONT-L'ÉVÊQUE.

A des époques indéterminées, Mme Aubain recevait la visite du marquis de Gremanville, un de ses oncles, ruiné par la crapule[1] et qui vivait à Falaise[2] sur le dernier lopin de ses terres. Il se présentait toujours à l'heure du déjeuner, avec un affreux caniche dont les pattes salissaient tous les meubles. Malgré ses efforts pour paraître gentilhomme jusqu'à soulever son chapeau chaque fois qu'il disait : " Feu mon père ", l'habitude l'entraînant, il se versait à boire coup sur coup et lâchait des gaillardises[3]. Félicité le poussait dehors poliment :

" Vous en avez assez, Monsieur de Gremanville! A une autre fois! "

Et elle refermait la porte.

Elle l'ouvrait avec plaisir devant M. Bourais, ancien avoué. Sa cravate blanche et sa calvitie, le jabot[4] de sa chemise, son ample redingote brune, sa façon de priser en arrondissant le bras, tout son individu lui produisait ce trouble où nous jette le spectacle des hommes extraordinaires.

Comme il gérait les propriétés de " Madame ", il s'enfermait avec elle pendant des heures dans le cabinet de " Monsieur ", et craignait toujours de se compromettre, respectait infiniment la magistrature, avec des prétentions au latin.

Pour instruire les enfants d'une manière agréable, il leur fit cadeau d'une géographie en estampes[5]. Elles représentaient différentes scènes du monde, des anthropophages coiffés de plumes, un singe enlevant une demoiselle, des Bédouins dans le désert, une baleine qu'on harponnait, etc.

Paul donna l'explication de ces gravures à Félicité. Ce fut même toute son éducation littéraire.

Celle des enfants était faite par Guyot, un pauvre diable employé à la mairie, fameux pour sa belle main[6], et qui repassait son canif sur sa botte.

Quand le temps était clair, on s'en allait de bonne heure à la ferme de Geffosses.

La cour est en pente, la maison dans le milieu; et la mer, au loin, apparaît comme une tache grise.

Félicité retirait de son cabas[7] des tranches de viande froide, et on déjeunait dans un appartement faisant suite à la laiterie. Il était le seul reste d'une habitation de plaisance, maintenant disparue. Le papier de la muraille, en lambeaux, tremblait aux courants d'air.

1. *Crapule* : vie déréglée et spécialement excès de boisson. — 2. Sous-préfecture du Calvados. — 3. *Gaillardises* : plaisanteries risquées. — 4. *Jabot* : garniture de dentelle à l'ouverture de la chemise. — 5. *Estampes* : reproduction d'une image gravée sur cuivre ou sur bois. — 6. *Belle main* : belle écriture. — 7. *Cabas* : sorte de panier plat en paille ou en étoffe.

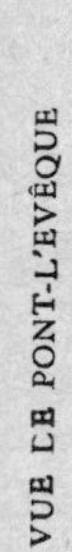

VUE DE PONT-L'EVÊQUE

Mme Aubain penchait son front, accablée de souvenirs; les enfants n'osaient plus parler.

" Mais jouez donc! " disait-elle; ils décampaient.

Paul montait dans la grange, attrapait des oiseaux, faisait des ricochets sur la mare, ou tapait avec un bâton les grosses futailles qui résonnaient comme des tambours.

Virginie donnait à manger aux lapins, se précipitait pour cueillir des bluets, et la rapidité de ses jambes découvrait ses petits pantalons brodés.

Un soir d'automne, on s'en retourna par les herbages.

La lune à son premier quartier éclairait une partie du ciel et un brouillard flottait comme une écharpe sur les sinuosités de la Touques[1]. Des bœufs, étendus au milieu du gazon, regardaient tranquillement ces quatre personnes passer. Dans la troisième pâture[2] quelques-uns se levèrent, puis se mirent en rond devant elles.

" Ne craignez rien! " dit Félicité; et murmurant une sorte de complainte[3], elle flatta sur l'échine celui qui se trouvait le plus près; il fit volte-face, les autres l'imitèrent.

Mais quand l'herbage suivant fut traversé, un beuglement formidable s'éleva. C'était un taureau que cachait le brouillard. Il avança vers les deux femmes. Mme Aubain allait courir.

" Non! non! moins vite! "

Elles pressaient le pas cependant et entendaient par derrière un souffle sonore qui se rapprochait. Ses sabots, comme des marteaux, battaient l'herbe de la prairie; voilà qu'il galopait maintenant! Félicité se retourna, et elle arrachait à deux mains des plaques de terre qu'elle lui jetait dans les yeux. Il baissait le mufle, secouait les cornes et tremblait de fureur en beuglant horriblement. Mme Aubain, au bout de l'herbage avec ses deux petits, cherchait éperdue comment franchir le haut bord[4]. Félicité reculait toujours devant le taureau et continuellement lançait des mottes de gazon qui l'aveuglaient, tandis qu'elle criait :

" Dépêchez-vous! dépêchez-vous! "

Mme Aubain descendit le fossé, poussa Virginie, Paul ensuite, tomba plusieurs fois en tâchant de gravir le talus, et à force de courage y parvint.

Le taureau avait acculé Félicité contre une claire-voie[5]; sa bave lui rejaillissait à la figure, une seconde de plus il l'éventrait. Elle eut le temps de se couler entre deux barreaux, et la grosse bête, toute surprise, s'arrêta.

1. Fleuve côtier traversant la grasse vallée d'Auge. — 2. *Pâture* : pré clos où on lâche le gros bétail. — 3. *Complainte* : chanson populaire plaintive sur un rythme lent. — 4. *Haut bord* : clôture qui borde le pré. — 5. *Claire-voie* : barrière à jour, faite de lattes ou de perches et servant de porte à la pâture.

Cet événement, pendant bien des années, fut un sujet de conversation à Pont-l'Évêque. Félicité n'en tira aucun orgueil, ne se doutant même pas qu'elle eût rien fait d'héroïque.

Virginie l'occupait exclusivement; car elle eut, à la suite de son effroi, une affection nerveuse, et M. Poupart, le docteur, conseilla les bains de mer de Trouville[1].

Dans ce temps-là, ils n'étaient pas fréquentés. Mme Aubain prit des renseignements, consulta Bourais, fit des préparatifs comme pour un long voyage.

Ses colis partirent la veille, dans la charrette de Liébard. Le lendemain, il amena deux chevaux dont l'un avait une selle de femme, munie d'un dossier de velours, et sur la croupe du second un manteau roulé formait une manière de siège. Mme Aubain y monta derrière lui. Félicité se chargea de Virginie et Paul enfourcha l'âne de M. Lechaptois, prêté sous la condition d'en avoir grand soin.

La route était si mauvaise que ses huit kilomètres exigèrent deux heures. Les chevaux enfonçaient jusqu'aux paturons[2] dans la boue et faisaient pour en sortir de brusques mouvements des hanches; ou bien ils butaient contre les ornières; d'autres fois il leur fallait sauter. La jument de Liébard, à de certains endroits, s'arrêtait tout à coup. Il attendait patiemment qu'elle se remît en marche, et il parlait des personnes dont les propriétés bordaient la route, ajoutant à leur histoire des réflexions morales. Ainsi, au milieu de Touques, comme on passait sous des fenêtres entourées de capucines, il dit, avec un haussement d'épaules : " En voilà une, Mme Lehoussais, qui au lieu de prendre un jeune homme.... " Félicité n'entendit pas le reste; les chevaux trottaient, l'âne galopait; tous enfilèrent un sentier, une barrière tourna, deux garçons parurent, et l'on descendit devant le purin, sur le seuil même de la porte.

La mère Liébard, en apercevant sa maîtresse, prodigua des démonstrations de joie. Elle lui servit un déjeuner où il y avait un aloyau[3], des tripes, du boudin, une fricassée de poulet, du cidre mousseux, une tarte aux compotes et des prunes à l'eau-de-vie, accompagnant le tout de politesses à Madame qui paraissait en meilleure santé, à Mademoiselle devenue " magnifique ", à M. Paul singulièrement " forci[4] ", sans oublier leurs grands-parents défunts que les Liébard avaient connus, étant au service de la famille depuis plusieurs générations. La ferme avait, comme

1. Station balnéaire, dont la vogue remonte au second Empire. — 2. *Paturons* : bas de la jambe du cheval entre le boulet et le sabot. — 3. *Aloyau* : partie du bœuf coupée le long des reins. — 4. *Forci* : expression locale, comme *magnifique*, et signifiant grossi et grandi.

eux, un caractère d'ancienneté. Les poutrelles du plafond étaient vermoulues, les murailles noires de fumée, les carreaux gris de poussière. Un dressoir en chêne supportait toutes sortes d'ustensiles, des brocs, des assiettes, des écuelles d'étain, des pièges à loup, des forces[1] pour les moutons; une seringue énorme fit rire les enfants. Pas un arbre des trois cours qui n'eût des champignons à sa base, ou dans ses rameaux une touffe de gui. Le vent en avait jeté bas plusieurs. Ils avaient repris par le milieu, et tous fléchissaient sous la quantité de leurs pommes. Les toits de paille, pareils à du velours brun et inégaux d'épaisseur, résistaient aux plus fortes bourrasques. Cependant la charrèterie[2] tombait en ruines. Mme Aubain dit qu'elle aviserait, et commanda de reharnacher les bêtes.

On fut encore une demi-heure avant d'atteindre Trouville. La petite caravane mit pied à terre pour passer les *Écores*; c'était une falaise surplombant des bateaux, et trois minutes plus tard, au bout du quai, on entra dans la cour de l'*Agneau d'or*, chez la mère David.

Virginie, dès les premiers jours, se sentit moins faible, résultat du changement d'air et de l'action des bains. Elle les prenait en chemise, à défaut d'un costume; et sa bonne la rhabillait dans une cabane de douanier qui servait aux baigneurs.

L'après-midi, on s'en allait, avec l'âne, au delà des Roches-Noires, du côté d'Hennequeville[3]. Le sentier, d'abord, montait entre des terrains vallonnés comme la pelouse d'un parc, puis arrivait sur un plateau où alternaient des pâturages et des champs en labour. A la lisière du chemin, dans le fouillis des ronces, des houx se dressaient; çà et là, un grand arbre mort faisait sur l'air bleu des zigzags avec ses branches.

Presque toujours on se reposait dans un pré, ayant Deauville à gauche, le Havre à droite et en face la pleine mer. Elle était brillante de soleil, lisse comme un miroir, tellement douce qu'on entendait à peine son murmure; des moineaux cachés pépiaient, et la voûte immense du ciel recouvrait tout cela. Mme Aubain, assise, travaillait à son ouvrage de couture; Virginie près d'elle tressait des joncs; Félicité sarclait des fleurs de lavande; Paul, qui s'ennuyait, voulait partir.

D'autres fois, ayant passé la Touques en bateau, ils cherchaient des coquilles. La marée basse laissait à découvert des oursins, des godefiches[4], des méduses; et les enfants couraient, pour

1. *Forces* : grands ciseaux pour tondre les moutons. — 2. *Charrèterie* : hangar où l'on range véhicules et instruments de culture. — 3. Village de la côte sur la route de Trouville à Honfleur. 4. *Godefiches* : expression tirée de l'anglais qui désigne les coquilles Saint-Jacques sur la côte normande.

saisir des flocons d'écume que le vent emportait. Les flots endormis, en tombant sur le sable, se déroulaient le long de la grève[1]; elle s'étendait à perte de vue, mais du côté de la terre avait pour limite les dunes la séparant du *Marais*, large prairie en forme d'hippodrome[2]. Quand ils revenaient par là, Trouville, au fond sur la pente du coteau, à chaque pas grandissait, et avec toutes ses maisons inégales semblait s'épanouir dans un désordre gai.

Les jours qu'il faisait trop chaud, ils ne sortaient pas de leur chambre. L'éblouissante clarté du dehors plaquait des barres de lumière entre les lames des jalousies[3]. Aucun bruit dans le village. En bas, sur le trottoir, personne. Ce silence épandu augmentait la tranquillité des choses. Au loin, les marteaux des calfats[4] tamponnaient des carènes[5], et une brise lourde apportait la senteur du goudron.

Le principal divertissement était le retour des barques. Dès qu'elles avaient dépassé les balises[6], elles commençaient à louvoyer[7] Leurs voiles descendaient aux deux tiers des mâts; et, la misaine[8] gonflée comme un ballon, elles s'avançaient, glissaient dans le clapotement des vagues, jusqu'au milieu du port, où l'ancre tout à coup tombait. Ensuite le bateau se plaçait contre le quai. Les matelots jetaient par-dessus le bordage des poissons palpitants; une file de charrettes les attendait, et des femmes en bonnet de coton s'élançaient pour prendre les corbeilles et embrasser leurs hommes.

Une d'elles, un jour, aborda Félicité, qui peu de temps après entra dans la chambre, toute joyeuse. Elle avait retrouvé une sœur; et Nastasie Barette, femme Leroux, apparut, tenant un nourrisson à sa poitrine, de la main droite un autre enfant, et à sa gauche un petit mousse les poings sur les hanches et le béret sur l'oreille.

Au bout d'un quart d'heure, Mme Aubain la congédia.

On les rencontrait toujours aux abords de la cuisine, ou dans les promenades que l'on faisait. Le mari ne se montrait pas.

Félicité se prit d'affection pour eux. Elle leur acheta une couverture, des chemises, un fourneau; évidemment ils l'exploitaient[9]. Cette faiblesse agaçait Mme Aubain, qui d'ailleurs n'aimait pas les familiarités du neveu, — car il tutoyait son fils; — et, comme

1. *Grève* : plage. — 2. *Hippodrome* : champ pour les courses de chevaux. — 3. *Jalousies* : persiennes en bois. — 4. *Calfats* : ouvriers qui garnissent d'étoupe, de poix et de goudron les interstices de la coque des navires. — 5. *Carène* : partie inférieure de la coque d'un navire ou œuvres vives. — 6. *Balises* : ouvrage servant à guider les embarcations dans les passages difficiles. — 7. *Louvoyer* : naviguer contre le vent, en tirant des bordées. — 8. *Misaine* : voile du mât d'avant. — 9. *Exploitaient* : tiraient profit de sa générosité.

Virginie toussait et que la saison n'était plus bonne, elle revint à Pont-l'Évêque.

M. Bourais l'éclaira sur le choix d'un collège. Celui de Caen passait pour le meilleur. Paul y fut envoyé et fit bravement ses adieux, satisfait d'aller vivre dans une maison où il aurait des camarades.

Mme Aubain se résigna à l'éloignement de son fils, parce qu'il était indispensable. Virginie y songea de moins en moins. Félicité regrettait son tapage. Mais une occupation vint la distraire; à partir de Noël, elle mena tous les jours la petite fille au catéchisme.

III

QUAND elle avait fait à la porte une génuflexion, elle s'avançait sous la haute nef[1] entre la double ligne des chaises, ouvrait le banc de Mme Aubain, s'asseyait et promenait ses yeux autour d'elle.

Les garçons à droite, les filles à gauche, emplissaient les stalles du chœur; le curé se tenait debout près du lutrin[2]; sur un vitrail de l'abside[3], le Saint-Esprit dominait la Vierge; un autre la montrait à genoux devant l'Enfant Jésus, et, derrière le tabernacle[4], un groupe en bois représentait saint Michel terrassant le dragon.

Le prêtre fit d'abord un abrégé de l'Histoire Sainte. Elle croyait voir le paradis, le déluge, la tour de Babel, des villes tout en flammes, des peuples qui mouraient, des idoles renversées; et elle garda de cet éblouissement le respect du Très-Haut[5] et la crainte de sa colère. Puis, elle pleura en écoutant la Passion. Pourquoi l'avaient-ils crucifié, lui qui chérissait les enfants, nourrissait les foules, guérissait les aveugles et avait voulu, par douceur, naître au milieu des pauvres, sur le fumier d'une étable? Les semailles, les moissons, les pressoirs, toutes ces choses familières dont parle l'Évangile, se trouvaient dans sa vie; le passage de Dieu les avait sanctifiées; et elle aima plus tendrement les agneaux par amour de l'Agneau[6], les colombes à cause du Saint-Esprit.

Elle avait peine à imaginer sa personne; car il n'était pas seulement oiseau, mais encore un feu, et d'autres fois un souffle. C'est peut-être sa lumière qui voltige la nuit aux bords des marécages, son haleine qui pousse les nuées, sa voix qui rend les cloches harmonieuses; et elle demeurait dans une adoration, jouissant de la fraîcheur des murs et de la tranquillité de l'église.

Quant aux dogmes[7], elles n'y comprenait rien, ne tâcha même

1. *Nef* : partie de l'église entre le portail et le chœur. — 2. *Lutrin* : pupitre portant les livres des offices chantés. — 3. *Abside* : chapelle semi-circulaire à l'extrémité de la nef. — 4. *Tabernacle* : petite armoire placée sur l'autel et contenant le saint ciboire. — 5. *Très-Haut* : épithète par laquelle on désigne Dieu dans la Bible. — 6. *L'Agneau* : nom qui désigne Jésus-Christ. — 7. *Dogmes* : points fondamentaux de la croyance chrétienne.

pas de comprendre. Le curé discourait, les enfants récitaient, elle finissait par s'endormir et se réveillait tout à coup, quand ils faisaient en s'en allant claquer leurs sabots sur les dalles.

Ce fut de cette manière, à force de l'entendre, qu'elle apprit le catéchisme, son éducation religieuse ayant été négligée dans sa jeunesse; et dès lors elle imita toutes les pratiques de Virginie, jeûnait comme elle, se confessait avec elle. A la Fête-Dieu, elles firent ensemble un reposoir[1].

La première communion la tourmentait d'avance. Elle s'agita pour les souliers, pour le chapelet, pour le livre, pour les gants. Avec quel tremblement elle aida sa mère à l'habiller!

Pendant toute la messe, elle éprouva une angoisse. M. Bourais lui cachait un côté du chœur; mais juste en face, le troupeau des vierges portant des couronnes blanches par-dessus leurs voiles abaissés formait comme un champ de neige; et elle reconnaissait de loin la chère petite à son cou plus mignon et son attitude recueillie. La cloche tinta. Les têtes se courbèrent; il y eut un silence. Aux éclats de l'orgue, les chantres et la foule entonnèrent l'*Agnus Dei*[2]; puis le défilé des garçons commença; et, après eux, les filles se levèrent. Pas à pas, et les mains jointes, elles allaient vers l'autel tout illuminé, s'agenouillaient sur la première marche, recevaient l'hostie successivement, et dans le même ordre revenaient à leurs prie-Dieu. Quand ce fut le tour de Virginie, Félicité se pencha pour la voir; et, avec l'imagination que donnent les vraies tendresses, il lui sembla qu'elle était elle-même cette enfant; sa figure devenait la sienne, sa robe l'habillait, son cœur lui battait dans la poitrine; au moment d'ouvrir la bouche, en fermant les paupières, elle manqua s'évanouir.

Le lendemain, de bonne heure, elle se présenta dans la sacristie pour que M. le curé lui donnât la communion. Elle la reçut dévotement, mais n'y goûta pas les mêmes délices.

Mme Aubain voulait faire de sa fille une personne accomplie; et, comme Guyot ne pouvait lui montrer ni l'anglais ni la musique, elle résolut de la mettre en pension chez les Ursulines[3] d'Honfleur[4].

L'enfant n'objecta rien. Félicité soupirait, trouvant Madame insensible. Puis elle songea que sa maîtresse, peut-être, avait raison. Ces choses dépassaient sa compétence.

1. *Reposoir* : autel élevé pour le passage et l'arrêt d'une procession. — 2. Prière chantée vers la fin de la messe (littéralement, Agneau de Dieu, cf. : plus haut). — 3. Ordre religieux institué en Italie en 1537 pour l'éducation gratuite des jeunes personnes, établi en France en 1604. — 4. Chef-lieu de canton et port de pêche sur la baie de Seine.

Enfin, un jour, une vieille tapissière[1] s'arrêta devant la porte, et il en descendit une religieuse qui venait chercher Mademoiselle. Félicité monta les bagages sur l'impériale, fit des recommandations au cocher et plaça dans le coffre six pots de confitures et une douzaine de poires, avec un bouquet de violettes.

Virginie, au dernier moment, fut prise d'un grand sanglot; elle embrassait sa mère qui la baisait au front en répétant :

" Allons! du courage! du courage! "

Le marchepied se releva, la voiture partit.

Alors Mme Aubain eut une défaillance; et le soir tous ses amis, le ménage Lormeau, Mme Lechaptois, *ces*[2] demoiselle Rochefeuille, M. de Houppeville et Bourais se présentèrent pour la consoler.

La privation de sa fille lui fut d'abord très douloureuse. Mais trois fois la semaine elle en recevait une lettre, les autres jours lui écrivait, se promenait dans son jardin, lisait un peu, et de cette façon comblait le vide des heures.

Le matin, par habitude, Félicité entrait dans la chambre de Virginie et regardait les murailles. Elle s'ennuyait de n'avoir plus à peigner ses cheveux, à lui lacer ses bottines, à la border dans son lit et de ne plus voir continuellement sa gentille figure, de ne plus la tenir par la main quand elles sortaient ensemble. Dans son désœuvrement, elle essaya de faire de la dentelle. Ses doigts trop lourds cassaient les fils; elle n'entendait à rien[3], avait perdu le sommeil, suivant son mot, était " minée[4] ".

Pour " se dissiper[5] ", elle demanda la permission de recevoir son neveu Victor.

Il arrivait le dimanche après la messe, les joues roses, la poitrine nue, et sentant l'odeur de la campagne qu'il avait traversée. Tout de suite, elle dressait son couvert. Ils déjeunaient l'un en face de l'autre, et, mangeant elle-même le moins possible pour épargner la dépense, elle le bourrait tellement de nourriture qu'il finissait par s'endormir. Au premier coup de vêpres, elle le réveillait, brossait son pantalon, nouait sa cravate et se rendait à l'église, appuyée sur son bras dans un orgueil maternel.

Ses parents le chargeaient toujours d'en tirer quelque chose, soit un paquet de cassonade[6], du savon, de l'eau-de-vie, parfois même de l'argent. Il apportait ses nippes à raccommoder; et elle acceptait cette besogne, heureuse d'une occasion qui le forçait à revenir.

1. *Tapissière* : voiture légère, ouverte de tous côtés, avec un toit ou impériale. — 2. *Ces* : manière de parler locale. — 3. *N'entendait à rien* : ne portait son attention sur rien. — 4. *Minée* : épuisée comme par une maladie. — 5. *Se dissiper* : se distraire. — 6. *Cassonade* : sucre de couleur brune et n'ayant subi qu'un raffinage.

Au mois d'août, son père l'emmena au cabotage[1].

C'était l'époque des vacances. L'arrivée des enfants la consola. Mais Paul devenait capricieux, et Virginie n'avait plus l'âge d'être tutoyée, ce qui mettait une gêne, une barrière entre elles.

Victor alla successivement à Morlaix, à Dunkerque et à Brighton; au retour de chaque voyage, il lui offrait un cadeau. La première fois, ce fut une boîte en coquilles; la seconde, une tasse à café; la troisième, un grand bonhomme en pain d'épices. Il embellissait, avait la taille bien prise, un peu de moustache, de bons yeux francs, et un petit chapeau de cuir, placé en arrière comme un pilote. Il l'amusait en lui racontant des histoires mêlées de termes marins.

Un lundi, 14 juillet 1819 (elle n'oublia pas la date), Victor annonça qu'il était engagé au long cours[2], et, dans la nuit du surlendemain, par le paquebot de Honfleur, irait rejoindre sa goëlette[3], qui devait démarrer du Havre prochainement. Il serait peut-être deux ans parti.

La perspective d'une telle absence désola Félicité; et pour lui dire encore adieu, le mercredi soir, après le dîner de Madame, elle chaussa des galoches[4] et avala les quatre lieues qui séparent Pont-l'Évêque de Honfleur.

Quand elle fut devant le Calvaire, au lieu de prendre à gauche, elle prit à droite, se perdit dans des chantiers, revint sur ses pas; des gens qu'elle accosta l'engagèrent à se hâter. Elle fit le tour du bassin rempli de navires, se heurtait contre des amarres; puis le terrain s'abaissa, des lumières s'entre-croisèrent, et elle se crut folle, en apercevant des chevaux dans le ciel.

Au bord du quai, d'autres hennissaient, effrayés par la mer. Un palan[5] qui les enlevait les descendait dans un bateau, où des voyageurs se bousculaient entre les barriques de cidre, les paniers de fromage, les sacs de grains; on entendait chanter des poules, le capitaine jurait; et un mousse restait accoudé sur le bossoir[6], indifférent à tout cela. Félicité, qui ne l'avait pas reconnu, criait : " Victor! " il leva la tête; elle s'élançait, quand on retira l'échelle tout à coup.

Le paquebot, que des femmes halaient en chantant, sortit du port. Sa membrure craquait, les vagues pesantes fouettaient sa

1. *Cabotage* : navigation marchande le long des côtes. — 2. *Long cours* : voyage à travers les Océans dans des pays éloignés. — 3. *Goëlette* : (de goëland, oiseau de mer) navire léger et rapide à deux mâts portant une voilure en forme de trapèze. — 4. *Galoches* : chaussure grossière à semelle de bois. — 5. *Palan* : machine pour élever les fardeaux à l'aide de poulies et de cordes. — 6. *Bossoir* : une des deux pièces de bois faisant saillie à l'avant du navire et tenant l'ancre suspendue et éloignée du bordage.

proue. La voile avait tourné, on ne vit plus personne; — et, sur la mer argentée par la lune, il faisait une tache noire qui pâlissait toujours, s'enfonça, disparut.

Félicité, en passant près du Calvaire, voulut recommander à Dieu ce qu'elle chérissait le plus; et elle pria pendant longtemps debout, la face baignée de pleurs, les yeux vers les nuages. La ville dormait, des douaniers se promenaient; et de l'eau tombait sans discontinuer par les trous de l'écluse, avec un bruit de torrent. Deux heures sonnèrent.

Le parloir n'ouvrirait pas avant le jour. Un retard, bien sûr, contrarierait Madame; et, malgré son désir d'embrasser l'autre enfant, elle s'en retourna. Les filles de l'auberge s'éveillaient, comme elle entrait dans Pont-l'Évêque.

Le pauvre gamin durant des mois allait donc rouler sur les flots! Ses précédents voyages ne l'avaient pas effrayée. De l'Angleterre et de la Bretagne, on revenait; mais l'Amérique, les Colonies, les Iles[1], cela était perdu dans une région incertaine, à l'autre bout du monde.

Dès lors, Félicité pensa exclusivement à son neveu. Les jours de soleil, elle se tourmentait de la soif; quand il faisait de l'orage, craignait pour lui la foudre. En écoutant le vent qui grondait dans la cheminée et emportait les ardoises, elle le voyait battu par cette même tempête, au sommet d'un mât fracassé, tout le corps en arrière, sous une nappe d'écume; ou bien, — souvenirs de la géographie en estampes, — il était mangé par les sauvages, pris dans un bois par des singes, se mourait le long d'une plage déserte. Et jamais elle ne parlait de ses inquiétudes.

Mme Aubain en avait d'autres sur sa fille.

Les bonnes sœurs trouvaient qu'elle était affectueuse, mais délicate. La moindre émotion l'énervait. Il fallut abandonner le piano.

Sa mère exigeait du couvent une correspondance réglée. Un matin que le facteur n'était pas venu, elle s'impatienta et elle marchait dans la salle, de son fauteuil à la fenêtre. C'était vraiment extraordinaire! depuis quatre jours, pas de nouvelles!

Pour qu'elle se consolât par son exemple, Félicité lui dit :

“ Moi, madame, voilà six mois que je n'en ai reçu!...

— De qui donc?... ”

La servante répliqua doucement :

“ Mais... de mon neveu!

— Ah! votre neveu! ” Et, haussant les épaules, Mme Aubain reprit sa promenade, ce qui voulait dire : “ Je n'y pensais pas!...

1. *Les Iles* : celles de la mer des Antilles et du golfe du Mexique.

Au surplus, je m'en moque! un mousse, un gueux, belle affaire!... tandis que ma fille... Songez donc!... "

Félicité, bien que nourrie dans la rudesse[1], fut indignée contre Madame, puis oublia.

Il lui paraissait tout simple de perdre la tête à l'occasion de la petite.

Les deux enfants avaient une importance égale; un lien de son cœur les unissait, et leur destinée devait être la même.

Le pharmacien lui apprit que le bateau de Victor était arrivé à la Havane[2]. Il avait lu ce renseignement dans une gazette[3].

A cause des cigares, elle imaginait la Havane un pays où l'on ne fait pas autre chose que de fumer, et Victor circulait parmi des nègres dans un nuage de tabac. Pouvait-on " en cas de besoin " s'en retourner par terre? A quelle distance était-ce de Pont-l'Évêque? Pour le savoir, elle interrogea M. Bourais.

Il atteignit son atlas, puis commença des explications sur les longitudes[4] et il avait un beau sourire de cuistre[5] devant l'ahurissement de Félicité. Enfin, avec son porte-crayon, il indiqua dans les découpures d'une tache ovale un point noir imperceptible, en ajoutant : " Voici. " Elle se pencha sur la carte; ce réseau de lignes coloriées fatiguait sa vue, sans lui rien apprendre; et Bourais, l'invitant à dire ce qui l'embarrassait, elle le pria de lui montrer la maison où demeurait Victor. Bourais leva les bras; il éternua, rit énormément; une candeur pareille excitait sa joie, et Félicité n'en comprenait pas le motif, — elle qui s'attendait peut-être à voir jusqu'au portrait de son neveu, tant son intelligence était bornée!

Ce fut quinze jours après que Liébard, à l'heure du marché comme d'habitude, entra dans la cuisine et lui remit une lettre qu'envoyait son beau-frère. Ne sachant lire aucun des deux, elle eut recours à sa maîtresse.

Mme Aubain, qui comptait les mailles d'un tricot, le posa près d'elle, décacheta la lettre, tressaillit, et, d'une voix basse, avec un regard profond :

" C'est un malheur... qu'on vous annonce. Votre neveu.... "

Il était mort. On n'en disait pas davantage.

Félicité tomba sur une chaise en s'appuyant la tête à la cloison, et ferma ses paupières, qui devinrent roses tout à coup. Puis, le front baissé, les mains pendantes, l'œil fixe, elle répétait par intervalles :

1. *Nourrie dans la rudesse* : élevée durement. — 2. Capitale de l'île de Cuba. — 3. *Gazette* : ancien nom du journal. — 4. *Longitude* : éloignement d'un lieu par rapport à un méridien convenu, celui de Greenwich par exemple. — 5. *Cuistre* : pédant.

“ Pauvre petit gars! pauvre petit gars! ”

Liébard la considérait en exhalant des soupirs. Mme Aubain tremblait un peu.

Elle lui proposa d'aller voir sa sœur à Trouville.

Félicité répondit, par un geste, qu'elle n'en avait pas besoin.

Il y eut un silence. Le bonhomme Liébard jugea convenable de se retirer.

Alors elle dit :

“ Ça ne leur fait rien, à eux! ”

Sa tête retomba, et machinalement elle soulevait, de temps à autre, les longues aiguilles sur la table à ouvrage.

Des femmes passèrent dans la cour avec un bard[1] d'où dégouttait du linge.

En les apercevant par les carreaux, elle se rappela sa lessive; l'ayant coulée[2] la veille, il fallait aujourd'hui la rincer; et elle sortit de l'appartement.

Sa planche et son tonneau étaient au bord de la Touques. Elle jeta sur la berge un tas de chemises, retroussa ses manches, prit son battoir; et les coups forts qu'elle donnait s'entendaient dans les autres jardins à côté. Les prairies étaient vides, le vent agitait la rivière; au fond, de grandes herbes s'y penchaient, comme des chevelures de cadavres flottant dans l'eau. Elle retenait sa douleur, jusqu'au soir fut très brave; mais, dans sa chambre, elle s'y abandonna, à plat ventre sur son matelas, le visage dans l'oreiller et les deux poings contre les tempes.

Beaucoup plus tard, par le capitaine de Victor lui-même, elle connut les circonstances de sa fin. On l'avait trop saigné à l'hôpital, pour la fièvre jaune[3]. Quatre médecins le tenaient à la fois. Il était mort immédiatement, et le chef avait dit :

“ Bon! encore un! ”

Ses parents l'avaient toujours traité avec barbarie. Elle aima mieux ne pas les revoir, ils ne firent aucune avance, par oubli, ou endurcissement de misérables.

Virginie s'affaiblissait.

Des oppressions, de la toux, une fièvre continuelle et des marbrures aux pommettes décelaient quelque affection[4] profonde. M. Poupart avait conseillé un séjour en Provence. Mme Aubain s'y décida et eût tout de suite repris sa fille à la maison, sans le climat de Pont-l'Évêque.

1. *Bard* : sorte de civière pour les lourds fardeaux. — 2. *Couler la lessive* : verser sur le linge à blanchir de l'eau chaude contenant en dissolution des sels de soude et de potasse. — 3. *Fièvre jaune* : maladie contagieuse des régions tropicales; appelée aussi vomito-negro. — 4. *Affection* : terme médical, maladie.

Elle fit un arrangement avec un loueur de voitures, qui la menait au couvent chaque mardi. Il y a dans le jardin une terrasse d'où l'on découvre la Seine. Virginie s'y promenait à son bras, sur les feuilles de pampre[1] tombées. Quelquefois le soleil traversant les nuages la forçait à cligner ses paupières, pendant qu'elle regardait les voiles au loin et tout l'horizon, depuis le château de Tancarville[2] jusqu'aux phares du Havre. Ensuite on se reposait sous la tonnelle. Sa mère s'était procuré un petit fût d'excellent vin de Malaga; et, riant à l'idée d'être grise, elle en buvait deux doigts, pas davantage.

Ses forces reparurent. L'automne s'écoula doucement. Félicité rassurait Mme Aubain. Mais, un soir qu'elle avait été aux environs faire une course, elle rencontra devant la porte le cabriolet[3] de M. Poupart; et il était dans le vestibule. Mme Aubain nouait son chapeau.

" Donnez-moi ma chaufferette, ma bourse, mes gants; plus vite donc! "

Virginie avait une fluxion de poitrine[4]; c'était peut-être désespéré.

" Pas encore! " dit le médecin, et tous deux montèrent dans la voiture, sous des flocons de neige qui tourbillonnaient. La nuit allait venir. Il faisait très froid.

Félicité se précipita dans l'église, pour allumer un cierge. Puis elle courut après le cabriolet, qu'elle rejoignit une heure plus tard, sauta légèrement par derrière, où elle se tenait aux torsades[5], quand une réflexion lui vint : " La cour n'était pas fermée! si des voleurs s'introduisaient? " Et elle descendit.

Le lendemain matin, dès l'aube, elle se présenta chez le docteur. Il était rentré et reparti à la campagne. Puis elle resta dans l'auberge, croyant que des inconnus apporteraient une lettre. Enfin, au petit jour, elle prit la diligence de Lisieux[6].

Le couvent se trouvait au fond d'une ruelle escarpée. Vers le milieu, elle entendit des sons étranges, un glas[7] de mort. " C'est pour d'autres ", pensa-t-elle; et Félicité tira violemment le marteau[8].

Au bout de plusieurs minutes, des savates se traînèrent, la porte s'entre-bâilla, et une religieuse parut.

La bonne sœur, avec un air de componction[9], dit " qu'elle

1. *Pampre* : rameau de vigne couvert de feuilles. — 2. Bourg sur une hauteur de la rive droite de la Seine maritime. — 3. *Cabriolet* : voiture légère à deux roues. — 4. *Fluxion de poitrine* : terme vieilli pour désigner une affection pulmonaire. — 5. *Torsades* : sorte de cordelière servant de point d'appui. — 6. Sous-préfecture du Calvados sur l'Orbec et la Touques. — 7. *Glas* : sonnerie funèbre. — 8. *Marteau* : heurtoir à l'extérieure d'une porte d'entrée. — 9. *Componction* : air à la fois affligé et pieux.

venait de passer ". En même temps, le glas de Saint-Léonard redoublait.

Félicité parvint au second étage.

Dès le seuil de la chambre, elle aperçut Virginie étalée sur le dos, les mains jointes, la bouche ouverte et la tête en arrière sous une croix noire s'inclinant vers elle, entre les rideaux immobiles, moins pâles que sa figure. Mme Aubain, au pied de la couche qu'elle tenait dans ses bras, poussait des hoquets d'agonie. La supérieure était debout, à droite. Trois chandeliers sur la commode faisaient des taches rouges, et le brouillard blanchissait les fenêtres. Des religieuses emportèrent Mme Aubain.

Pendant deux nuits, Félicité ne quitta pas la morte. Elle répétait les mêmes prières, jetait de l'eau bénite sur les draps, revenait s'asseoir et la contemplait. A la fin de la première veille, elle remarqua que la figure avait jauni, les lèvres bleuirent, le nez se pinçait, les yeux s'enfonçaient. Elle les baisa plusieurs fois et n'eût pas éprouvé un immense étonnement si Virginie les eût rouverts; pour de pareilles âmes le surnaturel est tout simple. Elle fit sa toilette, l'enveloppa de son linceul, la descendit dans sa bière, lui posa une couronne, étala ses cheveux. Ils étaient blonds et extraordinaires de longueur à son âge. Félicité en coupa une grosse mèche, dont elle glissa la moitié dans sa poitrine, résolue à ne jamais s'en dessaisir.

Le corps fut ramené à Pont-L'Évêque, suivant les intentions de Mme Aubain, qui suivait le corbillard[1], dans une voiture fermée.

Après la messe, il fallut encore trois quarts d'heure pour atteindre le cimetière. Paul marchait en tête et sanglotait. M. Bourais était derrière, ensuite les principaux habitants, les femmes, couvertes de mantes noires[2], et Félicité. Elle songeait à son neveu, et, n'ayant pu lui rendre ces honneurs, avait un surcroît de tristesse, comme si on l'eût enterré avec l'autre.

Le désespoir de Mme Aubain fut illimité.

D'abord elle se révolta contre Dieu, le trouvant injuste de lui avoir pris sa fille, — elle qui n'avait jamais fait de mal, et dont la conscience était si pure! Mais non! elle aurait dû l'emporter dans le Midi. D'autres docteurs l'auraient sauvée! Elle s'accusait, voulait la rejoindre, criait en détresse au milieu de ses rêves. Un, surtout, l'obsédait. Son mari, costumé comme un matelot, revenait d'un long voyage et lui disait en pleurant qu'il avait reçu l'ordre d'emmener Virginie. Alors ils se concertaient pour découvrir une cachette quelque part.

1. *Corbillard* : char funèbre. — 2. *Mante* : sorte de pélerine à capuchon et sans manches pour les femmes.

Une fois, elle rentra du jardin, bouleversée. Tout à l'heure (elle montrait l'endroit) le père et la fille lui étaient apparus l'un auprès de l'autre, et ils ne faisaient rien; ils la regardaient.

Pendant plusieurs mois, elle resta dans sa chambre, inerte. Félicité la sermonnait doucement; il fallait se conserver pour son fils, et pour l'autre[1], en souvenir " d'elle ".

" Elle? " reprenait Mme Aubain, comme se réveillant. " Ah! oui ... oui! vous ne l'oubliez pas! "

Allusion au cimetière, qu'on lui avait scrupuleusement défendu. Félicité tous les jours s'y rendait.

A quatre heures précises, elle passait au bord des maisons, montait la côte, ouvrait la barrière et arrivait devant la tombe de Virginie. C'était une petite colonne de marbre rose, avec une dalle dans le bas, et des chaînes autour enfermant un jardinet. Les plates-bandes disparaissaient sous une couverture de fleurs. Elle arrosait leurs feuilles, renouvelait le sable, se mettait à genoux pour mieux labourer la terre. Mme Aubain, quand elle put y venir, en éprouva un soulagement, une espèce de consolation.

Puis des années s'écoulèrent, toutes pareilles et sans autres épisodes que le retour des grandes fêtes : Pâques, l'Assomption, la Toussaint. Des événements antérieurs faisaient une date où l'on se reportait plus tard. Ainsi, en 1825, deux vitriers badigeonnèrent le vestibule; en 1827, une portion du toit, tombant dans la cour, faillit tuer un homme. L'été de 1828, ce fut à Madame d'offrir le pain bénit[2]; Bourais, vers cette époque, s'absenta mystérieusement; et les anciennes connaissances peu à peu s'en allèrent : Guyot, Liébard, Mme Lechaptois, Robelin, l'oncle Gremanville, paralysé depuis longtemps.

Une nuit, le conducteur de la malle-poste[3] annonça dans Pont-l'Évêque la Révolution de juillet[4]. Un sous-préfet nouveau, peu de jours après, fut nommé : le baron de Larsonnière, ex-consul en Amérique, et qui avait chez lui, outre sa femme, sa belle-sœur avec trois demoiselles, assez grandes déjà. On les apercevait sur leur gazon, habillées de blouses flottantes; elles possédaient un nègre et un perroquet. Mme Aubain eut leur visite et ne manqua pas de la rendre. Du plus loin qu'elles paraissaient, Félicité accourait pour la prévenir. Mais une chose était seule capable de l'émouvoir, les lettres de son fils.

Il ne pouvait suivre aucune carrière, étant absorbé dans les

1. *L'autre* : c'est M. Aubain qui est apparu en rêve à sa femme. — 2. *Pain bénit* : l'offrande du pain bénit réservée aux personnes aisées et pieuses de la paroisse. — 3. *Malle-poste* : voiture rapide faisant le service des lettres, — 4. *Révolution de juillet* : celle de 1830. qui mit Louis-Philippe sur le trône.

estaminets[1]. Elle lui payait ses dettes; il en refaisait d'autres; et les soupirs que poussait Mme Aubain, en tricotant près de la fenêtre, arrivaient à Félicité, qui tournait son rouet[2] dans la cuisine.

Elles se promenaient ensemble le long de l'espalier[3] et causaient toujours de Virginie, se demandant si telle chose lui aurait plu, en telle occasion ce qu'elle eût dit probablement.

Toutes ses petites affaires occupaient un placard dans la chambre à deux lits. Mme Aubain les inspectait le moins souvent possible. Un jour d'été, elle se résigna, et des papillons s'envolèrent de l'armoire.

Ses robes étaient en ligne sous une planche où il y avait trois poupées, des cerceaux, un ménage[4], la cuvette qui lui servait. Elles retirèrent également les jupons, les bas, les mouchoirs, et les étendirent sur les deux couches, avant de les replier. Le soleil éclairait ces pauvres objets, en faisait voir les taches, et des plis formés par les mouvements du corps. L'air était chaud et bleu, un merle gazouillait, tout semblait vivre dans une douceur profonde. Elles retrouvèrent un petit chapeau de peluche, à longs poils, couleur marron; mais il était tout mangé de vermine[5]. Félicité le réclama pour elle-même. Leurs yeux se fixèrent l'une sur l'autre, s'emplirent de larmes; enfin la maîtresse ouvrit ses bras, la servante s'y jeta; et elles s'étreignirent, satisfaisant leur douleur dans un baiser qui les égalisait.

C'était la première fois de leur vie, Mme Aubain n'étant pas d'une nature expansive. Félicité lui en fut reconnaissante comme d'un bienfait, et désormais la chérit avec un dévouement bestial et une vénération religieuse.

La bonté de son cœur se développa.

Quand elle entendait dans la rue les tambours d'un régiment en marche, elle se mettait devant la porte avec une cruche de cidre, et offrait à boire aux soldats. Elle soigna des cholériques[6]. Elle protégeait les Polonais[7], et même il y en eut un qui déclarait la vouloir épouser. Mais ils se fâchèrent; car un matin, en rentrant de l'angélus, elle le trouva dans sa cuisine, où il s'était introduit, et accommodé une vinaigrette qu'il mangeait tranquillement.

Après les Polonais, ce fut le père Colmiche, un vieillard passant

1. *Estaminet* : terme employé dans le nord pour désigner un cabaret. — 2. *Rouet* : roue mue par une pédale pour filer. — 3. *Espalier* : mur garni d'arbres fruitiers formant un cordon. — 4. *Ménage* : jeu d'enfant consistant en menus ustensiles de cuisine. — 5. *Vermine* : les mites, appelées plus haut, papillons. — 6. *Cholériques* : malades atteints du choléra à l'occasion de la grande épidémie de 1832. — 7. A la suite du soulèvement héroïque et malheureux des Polonais contre les Russes (1830-31), beaucoup se réfugièrent en France.

pour avoir fait des horreurs en 93. Il vivait au bord de la rivière, dans les décombres d'une porcherie. Les gamins le regardaient par les fentes du mur et lui jetaient des cailloux qui tombaient sur son grabat, où il gisait, continuellement secoué par un catarrhe[1], avec des cheveux très longs, les paupières enflammées, et au bras une tumeur plus grosse que sa tête. Elle lui procura du linge, tâcha de nettoyer son bouge[2], rêvait à l'établir dans le fournil[3], sans qu'il gênât Madame. Quand le cancer eut crevé, elle le pansa, tous les jours, quelquefois lui apportait de la galette, le plaçait au soleil sur une botte de paille; et le pauvre vieux, en bavant et en tremblant, la remerciait de sa voix éteinte, craignait de la perdre, allongeait les mains dès qu'il la voyait s'éloigner. Il mourut; elle lui fit dire une messe pour le repos de son âme.

Ce jour-là, il lui advint un grand bonheur : au moment du dîner, le nègre de Mme de Larsonnière se présenta, tenant le perroquet dans sa cage, avec le bâton, la chaîne et le cadenas. Un billet de la baronne annonçait à Mme Aubain que, son mari étant élevé à une préfecture, ils partaient le soir; et elle la priait d'accepter cet oiseau comme un souvenir et en témoignage de ses respects.

Il occupait depuis longtemps l'imagination de Félicité, car il venait d'Amérique, et ce mot lui rappelait Victor, si bien qu'elle s'en informait auprès du nègre. Une fois même elle avait dit : " C'est Madame, qui serait heureuse de l'avoir! "

Le nègre avait redit le propos à sa maîtresse, qui, ne pouvant l'emmener, s'en débarrassait de cette façon.

1. *Catarrhe* : toux opiniâtre. — 2. *Bouge* : logement misérable et malpropre. — 3. *Fournil* : pièce où se trouve le four.

IV

Il s'appelait Loulou. Son corps était vert, le bout de ses ailes rose, son front bleu, et sa gorge dorée.

Mais il avait la fatigante manie de mordre son bâton, s'arrachait les plumes, éparpillait ses ordures, répandait l'eau de sa baignoire; Mme Aubain, qu'il ennuyait, le donna pour toujours à Félicité.

Elle entreprit de l'instruire; bientôt il répéta : " Charmant garçon! Serviteur, monsieur! Je vous salue, Marie! " Il était placé auprès de la porte, et plusieurs s'étonnaient qu'il ne répondît pas au nom de Jacquot, puisque tous les perroquets s'appellent Jacquot. On le comparait à une dinde, à une bûche : autant de coups de poignard[1] pour Félicité. Étrange obstination de Loulou, ne parlant plus du moment qu'on le regardait!

Néanmoins il recherchait la compagnie; car le dimanche, pendant que *ces* demoiselles Rochefeuille, M. de Houppeville et de nouveaux habitués : Onfroy l'apothicaire[2], M. Varin et le capitaine Mathieu, faisaient leur partie de cartes, il cognait les vitres avec ses ailes et se démenait si furieusement qu'il était impossible de s'entendre.

La figure de Bourais, sans doute, lui paraissait très drôle. Dès qu'il l'apercevait, il commençait à rire, à rire de toutes ses forces. Les éclats de sa voix bondissaient dans la cour, l'écho les répétait, les voisins se mettaient à leurs fenêtres, riaient aussi; et, pour n'être pas vu du perroquet, M. Bourais se coulait le long du mur, en dissimulant son profil avec son chapeau, atteignait la rivière, puis entrait par la porte du jardin; et les regards qu'il envoyait à l'oiseau manquaient de tendresse.

Loulou avait reçu du garçon boucher une chiquenaude[3], s'étant permis d'enfoncer la tête dans sa corbeille; et depuis lors il tâchait toujours de le pincer à travers sa chemise. Fabu menaçait de lui tordre le cou, bien qu'il ne fût pas cruel, malgré le tatouage de ses bras et ses gros favoris. Au contraire, il avait

1. *Autant de coups de poignard* : au figuré, autant de peines profondes, aiguës. — 2. *Apothicaire* : ancien nom du pharmacien. — 3. *Chiquenaude* : coup donné avec le bout d'un doigt détendu brusquement.

plutôt du penchant pour le perroquet, jusqu'à vouloir, par humeur joviale, lui apprendre des jurons. Félicité, que ces manières effrayaient, le plaça dans la cuisine. Sa chaînette fut retirée, et il circulait par la maison.

Quand il descendait l'escalier, il appuyait sur les marches la courbe de son bec, levait la patte droite, puis la gauche; et elle avait peur qu'une telle gymnastique ne lui causât des étourdissements. Il devint malade[1], ne pouvait plus parler ni manger. C'était sous sa langue une épaisseur, comme en ont les poules quelquefois. Elle le guérit, en arrachant cette pellicule avec ses ongles. M. Paul, un jour, eut l'imprudence de lui souffler aux narines la fumée d'un cigare; une autre fois que Mme Lormeau l'agaçait du bout de son ombrelle, il en happa la virole[2], enfin, il se perdit.

Elle l'avait posé sur l'herbe pour le rafraîchir, s'absenta une minute; et, quand elle revint, plus de perroquet! D'abord elle le chercha dans les buissons, au bord de l'eau et sur les toits, sans écouter sa maîtresse qui lui criait :

" Prenez donc garde! Vous êtes folle. "

Ensuite elle inspecta tous les jardins de Pont-l'Évêque et elle arrêtait les passants :

" Vous n'auriez pas vu, quelquefois, par hasard, mon perroquet? "

A ceux qui ne connaissaient pas le perroquet, elle en faisait la description. Tout à coup, elle crut distinguer derrière les moulins, au bas de la côte, une chose verte qui voltigeait. Mais au haut de la côte, rien! Un porte-balle[3] lui affirma qu'il l'avait rencontré tout à l'heure, à Saint-Melaine, dans la boutique de la mère Simon. Elle y courut. On ne savait pas ce qu'elle voulait dire. Enfin elle rentra, épuisée, les savates en lambeaux, la mort dans l'âme; et, assise au milieu du banc, près de Madame, elle racontait toutes ses démarches, quand un poids léger lui tomba sur l'épaule : Loulou! Que diable avait-il fait? Peut-être qu'il s'était promené aux environs!

Elle eut du mal à s'en remettre, ou plutôt ne s'en remit jamais.

Par suite d'un refroidissement, il lui vint une angine; peu de temps après, un mal d'oreilles. Trois ans plus tard, elle était sourde et elle parlait très haut, même à l'église. Bien que ses péchés auraient pu[4] sans déshonneur pour elle, ni inconvénient pour le monde, se répandre à tous les coins du diocèse, M. le curé jugea convenable de ne plus recevoir sa confession que dans la sacristie.

1. *Malade* : d'une affection analogue à la pépie des poules. — 2. *Virole* : petit anneau autour du manche de l'ombrelle. — 3. *Porte-balle* : mercier ambulant. — 4. *Auraient pu* : conditionnel moins usité que le subjonctif après *bien que*.

Des bourdonnements illusoires[1] achevaient de la troubler. Souvent sa maîtresse lui disait : " Mon Dieu! comme vous êtes bête! ", elle répliquait : " Oui, Madame ", en cherchant quelque chose autour d'elle.

Le petite cercle de ses idées se rétrécit encore, et le carillon des cloches, le mugissement des bœufs, n'existaient plus. Tous les êtres fonctionnaient avec le silence des fantômes. Un seul bruit arrivait maintenant à ses oreilles, la voix du perroquet.

Comme pour la distraire, il reproduisait le tictac du tournebroche[2], l'appel aigu d'un vendeur de poisson, la scie du menuisier qui logeait en face; et, aux coups de la sonnette, imitait Mme Aubain : " Félicité! la porte! la porte! "

Ils avaient des dialogues, lui, débitant à satiété les trois phrases de son répertoire, et elle, y répondant par des mots sans plus de suite, mais où son cœur s'épanchait. Loulou, dans son isolement, était presque un fils, un amoureux. Il escaladait ses doigts, mordillait ses lèvres, se cramponnait à son fichu; et, comme elle penchait son front en branlant la tête à la manière des nourrices, les grandes ailes du bonnet et les ailes de l'oiseau frémissaient ensemble.

Quand des nuages s'amoncelaient et que le tonnerre grondait, il poussait des cris, se rappelant peut-être les ondées de ses forêts natales. Le ruissellement de l'eau excitait son délire; il voletait éperdu, montait au plafond, renversait tout, et par la fenêtre allait barboter dans le jardin; mais revenait vite sur un des chenêts[3], et, sautillant pour sécher ses plumes, montrait tantôt sa queue, tantôt son bec.

Un matin du terrible hiver de 1837, qu'elle l'avait mis devant la cheminée, à cause du froid, elle le trouva mort, au milieu de sa cage, la tête en bas, et les ongles dans les fils de fer. Une congestion l'avait tué, sans doute? Elle crut à un empoisonnement par le persil, et, malgré l'absence de toutes preuves, ses soupçons se portèrent sur Fabu.

Elle pleura tellement que sa maîtresse lui dit :

" Eh bien! faites-le empailler! "

Elle demanda conseil au pharmacien, qui avait toujours été bon pour le perroquet.

Il écrivit au Havre. Un certain Fellacher se chargea de cette besogne. Mais, comme la diligence égarait parfois les colis, elle résolut de le porter elle-même jusqu'à Honfleur.

1. *Illusoires* : qui ne répondent à aucune cause extérieure. — 2. *Tournebroche* : mécanisme à remontoir servant à faire tourner la pièce à rôtir. — 3. *Chenêts* : pièce de métal pour supporter le bois placé dans l'âtre.

Les pommiers sans feuilles se succédaient aux bords de la route. De la glace couvrait les fossés. Des chiens aboyaient autour des fermes; et les mains sous son mantelet, avec ses petits sabots noirs et son cabas, elle marchait prestement, sur le milieu du pavé.

Elle traversa la forêt, dépassa le Haut-Chêne, atteignit Saint-Gatien.

Derrière elle, dans un nuage de poussière et emportée par la descente, une malle-poste[1] au grand galop se précipitait comme une trombe. En voyant cette femme qui ne se dérangeait pas, le conducteur se dressa par-dessus la capote, et le postillon[2] criait aussi, pendant que ses quatre chevaux qu'il ne pouvait retenir accéléraient leur train; les deux premiers la frôlaient; d'une secousse de ses guides, il les jeta dans le débord[3], mais, furieux, releva le bras, et à pleine volée, avec son grand fouet, lui cingla du ventre au chignon un tel coup[4] qu'elle tomba sur le dos.

Son premier geste, quand elle reprit connaissance, fut d'ouvrir son panier. Loulou n'avait rien, heureusement. Elle sentit une brûlure à la joue droite; ses mains qu'elle y porta étaient rouges. Le sang coulait.

Elle s'assit sur un mètre[5] de cailloux, se tamponna le visage avec son mouchoir, puis elle mangea une croûte de pain, mise dans son panier par précaution, et se consolait de sa blessure en regardant l'oiseau.

Arrivée au sommet d'Ecquemauville, elle aperçut les lumières de Honfleur qui scintillaient dans la nuit comme une quantité d'étoiles; la mer, plus loin, s'étalait confusément. Alors une faiblesse l'arrêta; et la misère de son enfance, la déception du premier amour, le départ de son neveu, la mort de Virginie, comme les flots d'une marée, revinrent à la fois et, lui montant à la gorge, l'étouffaient.

Puis elle voulut parler au capitaine du bateau[6] et, sans dire ce qu'elle envoyait, lui fit des recommandations.

Fellacher garda longtemps le perroquet. Il le promettait toujours pour la semaine prochaine; au bout de six mois, il annonça le départ d'une caisse et il n'en fut plus question. C'était à croire que jamais Loulou ne reviendrait. « Ils me l'auront volé! » pensait-elle.

Enfin il arriva, et splendide, droit sur une branche d'arbre,

1. *Malle-poste* : voiture rapide pour le transport des lettres, dans laquelle on admettait quelques voyageurs. — 2. *Postillon* : un des conducteurs de la diligence monté sur un des chevaux attelés. — 3. *Débord* : partie de la route bordant la chaussée et où commencent les bas-côtés. — 4. *Lui cingla un coup de fouet* : tournure rare; on dit plutôt cingler quelqu'un d'un coup de fouet. — 5. *Mètre* : environ un mètre cube. — 6. Celui qui fait le service entre Honfleur et le Havre.

qui se vissait dans un socle d'acajou, une patte en l'air, la tête oblique, et mordant une noix, que l'empailleur, par amour du grandiose, avait dorée.

Elle l'enferma dans sa chambre.

Cet endroit, où elle admettait peu de monde, avait l'air tout à la fois d'une chapelle et d'un bazar, tant il contenait d'objets religieux et de choses hétéroclites[1].

Une grande armoire gênait pour ouvrir la porte. En face de la fenêtre surplombant le jardin, un œil-de-bœuf[2] regardait la cour; une table, près du lit de sangle[3], supportait un pot à l'eau, deux peignes et un cube de savon bleu dans une assiette ébréchée. On voyait contre les murs : des chapelets, des médailles, plusieurs bonnes Vierges, un bénitier en noix de coco; sur la commode, couverte d'un drap comme un autel, la boîte en coquillages que lui avait donnée Victor; puis un arrosoir et un ballon, des cahiers d'écriture, la géographie en estampes, une paire de bottines; et au clou du miroir, accroché par ses rubans, le petit chapeau de peluche! Félicité poussait même ce genre de respect si loin, qu'elle conservait une des redingotes de Monsieur. Toutes les vieilleries dont ne voulait plus Mme Aubain, elle les prenait pour sa chambre. C'est ainsi qu'il y avait des fleurs artificielles au bord de la commode, et le portrait du comte d'Artois[4] dans l'enfoncement de la lucarne.

Au moyen d'une planchette, Loulou fut établi sur un corps de cheminée qui avançait dans l'appartement. Chaque matin, en s'éveillant, elle l'apercevait à la clarté de l'aube et se rappelait alors les jours disparus, et d'insignifiantes actions jusqu'en leurs moindres détails, sans douleur, pleine de tranquillité.

Ne communiquant avec personne, elle vivait dans une torpeur de somnambule. Les processions de la Fête-Dieu la ranimaient. Elle allait quêter chez les voisines des flambeaux et des paillassons, afin d'embellir le reposoir que l'on dressait dans la rue....

Elle eut envie de se mettre dans les demoiselles de la Vierge[5]. Mme Aubain l'en dissuada.

Un événement considérable surgit : le mariage de Paul.

Après avoir été d'abord clerc de notaire, puis dans le commerce, dans la douane, dans les contributions, et même avoir commencé des démarches pour les eaux et forêts, à trente-six ans, tout à coup, par une inspiration du ciel, il avait découvert sa voie : l'enregistrement! et y montrait de si hautes facultés qu'un

1. *Hétéroclites* : de diverse nature. — 2. *Œil-de-bœuf* : petite fenêtre ronde. — 3. *Lit de sangle* : lit formé par des bandes de cuir ou de toile tendues sur deux châssis. — 4. Le futur Charles X, frère de Louis XVI et de Louis XVIII. — 5. Confrérie souvent appelée des enfants de Marie.

vérificateur lui avait offert sa fille, en lui promettant sa protection.

Paul, devenu sérieux, l'amena chez sa mère.

Elle dénigra les usages de Pont-l'Évêque, fit la princesse, blessa Félicité. Mme Aubain, à son départ, sentit un allégement.

La semaine suivante, on apprit la mort de M. Bourais, en basse Bretagne, dans une auberge. La rumeur d'un suicide se confirma; des doutes s'élevèrent sur sa probité. Mme Aubain étudia ses comptes et ne tarda pas à connaître la kyrielle[1] de ses noirceurs : détournements d'arrérages[2], ventes de bois dissimulées, fausses quittances, etc.

Ces turpitudes l'affligèrent beaucoup. Au mois de mars 1853, elle fut prise d'une douleur dans la poitrine; sa langue paraissait couverte de fumée, les sangsues ne calmèrent pas l'oppression; et le neuvième soir elle expira, ayant juste soixante-douze ans.

On la croyait moins vieille, à cause de ses cheveux bruns, dont les bandeaux entouraient sa figure blême, marquée de petite vérole[3]. Peu d'amis la regrettèrent, ses façons étant d'une hauteur qui éloignait.

Félicité la pleura, comme on ne pleure pas les maîtres. Que Madame mourût avant elle, cela troublait ses idées, lui semblait contraire à l'ordre des choses, inadmissible et monstrueux.

Dix jours après (le temps d'accourir de Besançon), les héritiers survinrent. La bru fouilla les tiroirs, choisit les meubles, vendit les autres, puis ils regagnèrent l'enregistrement.

Le fauteuil de Madame, son guéridon, sa chaufferette, les huit chaises étaient partis! La place des gravures se dessinait en carrés jaunes au milieu des cloisons. Ils avaient emporté les deux couchettes, avec leurs matelas, et dans le placard on ne voyait plus rien de toutes les affaires de Virginie! Félicité remonta les étages, ivre de tristesse.

Le lendemain il y avait sur la porte une affiche; l'apothicaire lui cria dans l'oreille que la maison était à vendre.

Elle chancela et fut obligée de s'asseoir....

Elle avait une rente de trois cent quatre-vingts francs, léguée par sa maîtresse. Le jardin lui fournissait des légumes. Quant aux habits, elle possédait de quoi se vêtir jusqu'à la fin de ses jours, et épargnait l'éclairage en se couchant dès le crépuscule.

Elle ne sortait guère, afin d'éviter la boutique du brocanteur[4], où s'étalaient quelques-uns des anciens meubles. Depuis son

1. *Kyrielle* : suite nombreuse. — 2. *Arrérages* : ce qui est échu d'un revenu, d'une rente. — 3. La vaccination n'étant pas obligatoire, nombre de personnes mouraient de cette maladie ou en gardaient des traces sur le visage. — 4. *Brocanteur* : marchand de vieux meubles et autres objets de rencontre.

étourdissement, elle traînait une jambe; et, ses forces diminuant, la mère Simon, ruinée dans l'épicerie, venait tous les matins fendre son bois et pomper de l'eau.

Ses yeux s'affaiblirent. Les persiennes n'ouvraient plus. Bien des années se passèrent. Et la maison ne se louait pas et ne se vendait pas.

Dans la crainte qu'on ne la renvoyât, Félicité ne demandait aucune réparation. Les lattes[1] du toit pourrissaient; pendant tout un hiver son traversin fut mouillé. Après Pâques, elle cracha du sang.

Alors la mère Simon eut recours à un docteur. Félicité voulut savoir ce qu'elle avait. Mais, trop sourde pour entendre, un seul nom lui parvint : " Pneumonie ". Il lui était connu et elle répliqua doucement : " Ah! comme Madame ", trouvant naturel de suivre sa maîtresse.

Le moment des reposoirs approchait.

Le premier était toujours au bas de la côte, le second devant la poste, le troisième vers le milieu de la rue. Il y eut des rivalités à propos de celui-là, et les paroissiennes choisirent finalement la cour de Mme Aubain.

Les oppressions et la fièvre augmentaient. Félicité se chagrinait de ne rien faire pour le reposoir. Au moins, si elle avait pu y mettre quelque chose! Alors elle songea au perroquet. Ce n'était pas convenable, objectèrent les voisines. Mais le curé accorda cette permission; elle en fut tellement heureuse qu'elle le pria d'accepter, quand elle serait morte, Loulou, sa seule richesse.

Du mardi au samedi, veille de la Fête-Dieu, elle toussa plus fréquemment. Le soir, son visage était grippé[2], ses lèvres se collaient à ses gencives, des vomissements parurent; et le lendemain, au petit jour, se sentant très bas, elle fit appeler un prêtre.

Trois bonnes femmes l'entouraient pendant l'extrême-onction. Puis elle déclara qu'elle avait besoin de parler à Fabu.

Il arriva en toilette des dimanches, mal à son aise dans cette atmosphère lugubre.

" Pardonnez-moi, dit-elle avec un effort pour étendre le bras, je croyais que c'était vous qui l'aviez tué! "

Que signifiaient des potins pareils? L'avoir soupçonné d'un meurtre, un homme comme lui! et il s'indignait, allait faire du tapage.

" Elle n'a plus sa tête, vous voyez bien! "

1. *Lattes* : minces morceaux de bois sur lesquels sont placées les tuiles, ou les ardoises. — 2. *Grippé* : plissé, froncé.

Félicité de temps à autre parlait à des ombres. Les bonnes femmes s'éloignèrent. La Simonne[1] déjeuna.

Un peu plus tard, elle prit Loulou, et, l'approchant de Félicité :

" Allons! dites-lui adieu! "

Bien qu'il ne fût pas un cadavre, les vers le dévoraient; une de ses ailes était cassée, l'étoupe[2] lui sortait du ventre. Mais, aveugle à présent, elle le baisa au front et le gardait contre sa joue. La Simonne le reprit pour le mettre sur le reposoir.

1. Façon familière de désigner la mère Simon. — 2. *Étoupe* : filasse de chanvre.

V

Les herbages envoyaient l'odeur de l'été; des mouches bourdonnaient; le soleil faisait luire la rivière, chauffait les ardoises. La mère Simon, revenue dans la chambre, s'endormait doucement.

Des coups de cloche la réveillèrent; on sortait des vêpres. Le délire de Félicité tomba. En songeant à la procession, elle la voyait, comme si elle l'eût suivie.

Tous les enfants des écoles, les chantres et les pompiers marchaient sur les trottoirs, tandis qu'au milieu de la rue, s'avançaient premièrement : le suisse armé de sa hallebarde[1], le bedeau avec une grande croix, l'instituteur surveillant les gamins, la religieuse inquiète de ses petites filles; trois des plus mignonnes, frisées comme des anges, jetaient dans l'air des pétales de roses; le diacre, les bras écartés, modérait la musique; et deux encenseurs[2] se retournaient à chaque pas vers le Saint-Sacrement, que portait, sous un dais de velours ponceau[3] tenu par quatre fabriciens[4], M. le curé, dans sa belle chasuble[5]. Un flot de monde se poussait derrière, entre les nappes blanches couvrant le mur des maisons; et l'on arriva au bas de la côte.

Une sueur froide mouillait les tempes de Félicité. La Simonne l'épongeait avec un linge, en se disant qu'un jour il lui faudrait passer par là.

Le murmure de la foule grossit, fut un moment très fort, s'éloignait.

Une fusillade ébranla les carreaux. C'était les postillons saluant l'ostensoir[6]. Félicité roula ses prunelles, et elle dit, le moins bas qu'elle put :

“ Est-il bien? ” tourmentée du perroquet.

Son agonie commença. Un râle, de plus en plus précipité, lui

1. *Hallebarde* : sorte de pique avec une lame tranchante surmontée d'un fer aigu. — 2. *Encenseurs* : terme pris généralement au sens figuré. — 3. *Ponceau* : rouge coquelicot. — 4. *Fabriciens* : membres laïques du conseil d'administration de la paroisse. — 5. *Chasuble* : ornement sacerdotal à deux pans sans manches. — 6. *Ostensoir* : pièce d'orfèvrerie contenant une hostie consacrée.

soulevait les côtes. Des bouillons d'écume venaient aux coins de sa bouche, et tout son corps tremblait.

Bientôt, on distingua le ronflement des ophicléides[1], les voix claires des enfants, la voix profonde des hommes. Tout se taisait par intervalles, et le battement des pas, que des fleurs amortissaient, faisait le bruit d'un troupeau sur du gazon.

Le clergé parut dans la cour. La Simonne grimpa sur une chaise pour atteindre à l'œil-de-bœuf, et de cette manière dominait le reposoir.

Des guirlandes vertes pendaient sur l'autel, orné d'un falbala[2] en point d'Angleterre. Il y avait au milieu un petit cadre enfermant des reliques, deux orangers dans les angles, et, tout le long, des flambeaux d'argent et des vases en porcelaine, d'où s'élançaient des tournesols, des lis, des pivoines, des digitales, des touffes d'hortensias. Ce monceau de couleurs éclatantes descendait obliquement, du premier étage jusqu'au tapis se prolongeant sur les pavés; et des choses rares tiraient les yeux.

Un sucrier de vermeil avait une couronne de violettes, des pendeloques en pierre d'Alençon[3] brillaient sur de la mousse, deux écrans chinois montraient leurs paysages. Loulou, caché sous des roses, ne laissait voir que son front bleu, pareil à une plaque de lapis[4].

Les fabriciens, les chantres, les enfants se rangèrent sur les trois côtés de la cour. Le prêtre gravit lentement les marches et posa sur la dentelle son grand soleil d'or[5] qui rayonnait. Tous s'agenouillèrent. Il se fit un grand silence. Et les encensoirs, allant à pleine volée, glissaient sur leurs chaînettes.

Une vapeur d'azur monta dans la chambre de Félicité. Elle avança les narines, en la humant avec une sensualité mystique, puis ferma les paupières. Ses lèvres souriaient. Les mouvements de son cœur se ralentirent un à un, plus vagues chaque fois, plus doux, comme une fontaine s'épuise, comme un écho disparaît; et, quand elle exhala son dernier souffle, elle crut voir, dans les cieux entr'ouverts, un perroquet gigantesque, planant au-dessus de sa tête.

1. *Ophicléide* : instrument de cuivre, à vent et à clés (anciennement serpent). — 2. *Falbala* : volant en dentelle. — 3. *Pendeloques en pierre d'Alençon* : pierres taillées à Alençon et ayant l'apparence du cristal, du diamant. — 4. *Lapis* ou *lapis lazuli* : pierre d'un bleu d'azur. — 5. C'est l'ostensoir, fait d'or, d'argent ou de vermeil, qui sert à l'exposition de l'hostie consacrée, dite Saint-Sacrement.

LA LÉGENDE DE SAINT JULIEN L'HOSPITALIER

Le père et la mère de Julien habitaient un château, au milieu des bois, sur la pente d'une colline.

Les quatre tours aux angles avaient des toits pointus recouverts d'écailles de plomb, et la base des murs s'appuyait sur les quartiers de rocs, qui dévalaient abruptement jusqu'au fond des douves[1].

Les pavés de la cour étaient nets comme le dallage d'une église. De longues gouttières, figurant des dragons la gueule en bas, crachaient l'eau des pluies vers la citerne; et sur le bord des fenêtres, à tous les étages, dans un pot d'argile peinte, un basilic[2] ou un héliotrope[3] s'épanouissait.

Une seconde enceinte, faite de pieux, comprenait d'abord un verger d'arbres à fruits, ensuite un parterre où des combinaisons de fleurs dessinaient des chiffres, puis une treille avec des berceaux pour prendre le frais, et un jeu de mail[4] qui servait au divertissement des pages. De l'autre côté se trouvaient le chenil, les écuries, la boulangerie, le pressoir et les granges. Un pâturage de gazon vert se développait tout autour, enclos lui-même d'une forte haie d'épines.

On vivait en paix depuis si longtemps que la herse[5] ne s'abaissait plus; les fossés étaient pleins d'eau; des hirondelles faisaient leur nid dans la fente des créneaux; et l'archer, qui tout le long du jour se promenait sur la courtine[6], dès que le soleil brillait trop fort, rentrait dans l'échauguette[7] et s'endormait comme un moine.

A l'intérieur, les ferrures partout reluisaient; des tapisseries dans les chambres protégeaient du froid; et les armoires regorgeaient de linge, les tonnes de vin s'empilaient dans les celliers, les coffres de chêne craquaient sous le poids des sacs d'argent.

1. *Douve* : fossé entourant un château. — 2. *Basilic* : plante aux feuilles odoriférantes. — 3. *Héliotrope* : fleur bleue au parfum suave. — 4. *Jeu de mail* : emplacement destiné à un jeu analogue à celui du croquet. — 5. *Herse* : grille armée de pointes de fer qu'on faisait descendre pour empêcher l'accès de la porte des lieux fortifiés. — 6. *Courtine* : partie du rempart entre deux tours. — 7. *Échauguette* : sorte de guérite en pierre construite en saillie sur les tours ou aux angles des courtines.

On voyait dans la salle d'armes, entre des étendards et des mufles de bêtes fauves, des armes de tous temps et de toutes les nations, depuis les frondes des Amalécites[1] et les javelots des Garamantes[2] jusqu'aux braquemarts[3] des Sarrasins et aux cottes de mailles des Normands.

La maîtresse broche de la cuisine pouvait faire tourner un bœuf; la chapelle était somptueuse comme l'oratoire d'un roi. Il y avait même, dans un endroit écarté, une étuve[4] à la romaine; mais le bon seigneur s'en privait, estimant que c'est un usage des idolâtres.

Toujours enveloppé d'une pelisse de renard, il se promenait dans sa maison, rendait la justice à ses vassaux, apaisait les querelles de ses voisins. Pendant l'hiver, il regardait les flocons de neige tomber, ou se faisait lire des histoires. Dès les premiers beaux jours, il s'en allait sur sa mule le long des petits chemins, au bord des blés qui verdoyaient, et causait avec les manants, auxquels il donnait des conseils. Après beaucoup d'aventures, il avait pris pour femme une demoiselle de haut lignage[5].

Elle était très blanche, un peu fière et sérieuse. Les cornes de son hennin[6] frôlaient le linteau[7] des portes; la queue de sa robe de drap traînait de trois pas derrière elle. Son domestique[8] était réglé comme l'intérieur d'un monastère; chaque matin elle distribuait la besogne à ses servantes, surveillait les confitures et les onguents, filait à la quenouille ou brodait des nappes d'autel. A force de prier Dieu, il lui vint un fils.

Alors il y eut de grandes réjouissances, et un repas qui dura trois jours et quatre nuits, dans l'illumination des flambeaux, au son des harpes, sur des jonchées de feuillages. On y mangea les plus rares épices, avec des poules grosses comme des moutons; par divertissement, un nain sortit d'un pâté; et, les écuelles ne suffisant plus, car la foule augmentait toujours, on fut obligé de boire dans les oliphants[9] et dans les casques.

La nouvelle accouchée n'assista pas à ces fêtes. Elle se tenait dans son lit tranquillement. Un soir, elle se réveilla, et elle aperçut, sous un rayon de la lune qui entrait par la fenêtre, comme une ombre mouvante. C'était un vieillard en froc[10] de bure, avec un chapelet au côté, une besace sur l'épaule, toute l'apparence d'un

1. *Amalécites* : peuplades du sud de la Judée, ennemies acharnées des Israélites. — 2. *Garamantes* : tribus sahariennes au sud de l'Atlas. — 3. *Braquemart* : épée à lame courte et large. — 4. *Étuve*: salle pour bains chauds. — 5. *De haut lignage*: de race très noble. — 6. *Hennin* : coiffe féminine du moyen âge en forme de cône à une pointe ou à deux (les cornes). — 7. *Linteau* : partie supérieure d'une porte. — 8. *Domestique* : ménage. — 9. *Oliphant* : cor en ivoire. — 10. *Froc* : vêtement de moine.

ermite. Il s'approcha de son chevet et lui dit, sans desserrer les lèvres :

" Réjouis-toi, ô mère, ton fils sera un saint! "

Elle allait crier; mais, glissant sur le rais de la lune, il s'éleva dans l'air doucement, puis disparut. Les chants du banquet éclatèrent plus fort. Elle entendit les voix des anges; et sa tête retomba sur l'oreiller, que dominait un os de martyr dans un cadre d'escarboucles[1].

Le lendemain, tous les serviteurs interrogés déclarèrent qu'ils n'avaient pas vu d'ermite. Songe ou réalité, cela devait être une communication du ciel; mais elle eut soin de n'en rien dire, ayant peur qu'on ne l'accusât d'orgueil.

Les convives s'en allèrent au petit jour; et le père de Julien se trouvait en dehors de la poterne[2], où il venait de reconduire le dernier, quand tout à coup un mendiant se dressa devant lui dans le brouillard. C'était un Bohème[3] à barbe tressée, avec des anneaux d'argent aux deux bras et les prunelles flamboyantes. Il bégaya d'un air inspiré ces mots sans suite :

" Ah! ah! ton fils!... beaucoup de sang!... beaucoup de gloire!... toujours heureux! la famille d'un empereur. "

Et, se baissant pour ramasser son aumône, il se perdit dans l'herbe, s'évanouit.

Le bon châtelain regarda de droite et de gauche, appela tant qu'il put. Personne! Le vent sifflait, les brumes du matin s'envolaient.

Il attribua cette vision à la fatigue de sa tête pour avoir trop peu dormi . " Si j'en parle, on se moquera de moi ", se dit-il. Cependant les splendeurs destinées à son fils l'éblouissaient, bien que la promesse n'en fût pas claire et qu'il doutât même de l'avoir entendue.

Les époux se cachèrent leur secret. Mais tous deux chérissaient l'enfant d'un pareil amour; et, le respectant comme marqué de Dieu, ils eurent pour sa personne des égards infinis. Sa couchette était rembourrée du plus fin duvet; une lampe en forme de colombe brûlait dessus continuellement; trois nourrices le berçaient; et, bien serré dans ses langes, la mine rose et les yeux bleus, avec son manteau de brocart[4] et son béguin[5] chargé de perles, il ressemblait à un petit Jésus. Les dents lui poussèrent sans qu'il pleurât une seule fois.

Quand il eut sept ans, sa mère lui apprit à chanter. Pour le

1. *Escarboucles* : pierres brillantes d'un rouge foncé. — 2. *Poterne* : petite porte dans le rempart. — 3. *Bohème* : ou bohémien, nomade disant la bonne aventure. — 4. *Brocart* : étoffe brochée de soie, d'or ou d'argent. — 5. *Béguin* : bonnet à trois pièces de petit enfant.

rendre courageux, son père le hissa sur un gros cheval. L'enfant souriait d'aise et ne tarda pas à savoir tout ce qui concerne les destriers[1].

Un vieux moine très savant lui enseigna l'Écriture Sainte, la numération des Arabes, les lettres latines, et à faire sur le vélin[2] des peintures mignonnes. Ils travaillaient ensemble, tout en haut d'une tourelle, à l'écart du bruit.

La leçon terminée, ils descendaient dans le jardin, où, se promenant pas à pas, ils étudiaient les fleurs.

Quelquefois on apercevait, cheminant au fond de la vallée, une file de bêtes de somme, conduites par un piéton, accoutré à l'orientale. Le châtelain, qui l'avait reconnu pour un marchand, expédiait vers lui un valet. L'étranger, prenant confiance, se détournait de sa route; et, introduit dans le parloir, il retirait de ses coffres des pièces de velours et de soie, des orfèvreries, des aromates[3], des choses singulières d'un usage inconnu; à la fin le bonhomme s'en allait, avec un gros profit, sans avoir enduré aucune violence. D'autres fois, une troupe de pèlerins frappait à la porte. Leurs habits mouillés fumaient devant l'âtre; et, quand ils étaient repus, ils racontaient leurs voyages : les erreurs[4] des nefs sur la mer écumeuse, les marches à pied dans les sables brûlants, la férocité des païens, les cavernes de la Syrie, la Crèche et le Sépulcre. Puis ils donnaient au jeune seigneur des coquilles[5] de leur manteau.

Souvent le châtelain festoyait ses vieux compagnons d'armes. Tout en buvant, ils se rappelaient leurs guerres, les assauts des forteresses avec le battement des machines et les prodigieuses blessures. Julien, qui les écoutait, en poussait des cris; alors son père ne doutait pas qu'il ne fût plus tard un conquérant. Mais le soir, au sortir de l'angélus, quand il passait entre les pauvres inclinés, il puisait dans son escarcelle[6] avec tant de modestie et d'un air si noble, que sa mère comptait bien le voir par la suite archevêque.

Sa place dans la chapelle était aux côtés de ses parents; et, si longs que fussent les offices, il restait à genoux sur son prie-Dieu, la toque par terre et les mains jointes.

Un jour, pendant la messe, il aperçut, en relevant la tête, une petite souris blanche qui sortait d'un trou dans la muraille. Elle trottina sur la première marche de l'autel, et, après deux ou

1. *Destrier* : cheval de bataille qu'un écuyer menait de la main droite. — 2. *Vélin* : peau de veau préparée pour écrire dessus. — 3. *Aromates* : parfums. — 4. *Erreurs* : routes maritimes, courses vagabondes. — 5. La qualité de pèlerin se décelait à cet ornement. — 6. *Escarcelle* : grande bourse pendue à la ceinture.

trois tours de droite et de gauche, s'enfuit du même côté. Le dimanche suivant, l'idée qu'il pourrait la revoir le troubla. Elle revint; et, chaque dimanche il l'attendait, en était importuné, fut pris de haine contre elle, et résolut de s'en défaire.

Ayant donc fermé la porte et semé sur les marches les miettes d'un gâteau, il se posta devant le trou, une baguette à la main.

Au bout de très longtemps un museau rose parut, puis la souris tout entière. Il frappa un coup léger et demeura stupéfait devant ce petit corps qui ne bougeait plus. Une goutte de sang tachait la dalle. Il l'essuya bien vite avec sa manche, jeta la souris dehors et n'en dit rien à personne.

Toutes sortes d'oisillons picoraient les graines du jardin. Il imagina de mettre des pois dans un roseau creux. Quand il entendait gazouiller dans un arbre, il en approchait avec douceur, puis levait son tube, enflait ses joues; et les bestioles lui pleuvaient sur les épaules si abondamment qu'il ne pouvait s'empêcher de rire, heureux de sa malice.

Un matin, comme il s'en retournait par la courtine, il vit sur la crête du rempart un gros pigeon qui se rengorgeait au soleil. Julien s'arrêta pour le regarder; le mur en cet endroit ayant une brèche, un éclat de pierre se rencontra sous ses doigts. Il tourna son bras, et la pierre abattit l'oiseau qui tomba d'un bloc dans le fossé.

Il se précipita vers le fond, se déchirant aux broussailles, furetant partout, plus leste qu'un jeune chien.

Le pigeon, les ailes cassées, palpitait, suspendu dans les branches d'un troëne[1].

La persistance de sa vie irrita l'enfant. Il se mit à l'étrangler, et les convulsions de l'oiseau faisaient battre son cœur, l'emplissaient d'une volupté sauvage et tumultueuse. Au dernier roidissement[2], il se sentit défaillir.

Le soir, pendant le souper, son père déclara que l'on devait à son âge apprendre la vénerie[3]; et il alla chercher un vieux cahier d'écriture contenant, par demandes et réponses, tout le déduit[4] des chasses. Un maître y démontrait à son élève l'art de dresser les chiens et d'affaiter[5] les faucons, de tendre les pièges, comment reconnaître le cerf à ses fumées, le renard à ses empreintes, le loup à ses déchaussures[7], le bon moyen de discerner leurs voies[8], de quelle manière on les lance, où se trouvent ordinaire-

1. *Troëne* : arbrisseau des haies à fleurs blanches d'une odeur douce. — 2. *Roidissement* : forme ancienne de raidissement. — 3. *Vénerie* : art de la chasse. — 4. *Déduit* : vieilli : divertissement. — 5. *Affaiter* : apprivoiser, dresser. — 6. *Fumées* : fientes des cerfs et autres bêtes fauves. — 7. *Déchaussures* : terme spécial pour désigner les traces du loup. — 8. *Voies* : directions suivies par le gibier.

ment leurs refuges, quels sont les vents les plus propices, avec l'énumération des cris et les règles de la curée[1].

Quand Julien put réciter par cœur toutes ces choses, son père lui composa une meute.

D'abord, on y distinguait vingt-quatre lévriers barbaresques[2], plus véloces[3] que des gazelles, mais sujets à s'emporter; puis dix-sept couples de chiens bretons, tiquetés de blanc sur fond rouge, inébranlables dans leur créance[4], forts de poitrine et grands hurleurs. Pour l'attaque du sanglier et les refuites[5] périlleuses, il y avait quarante griffons, poilus comme des ours. Des mâtins de Tartarie, presque aussi hauts que des ânes, couleur de feu, l'échine large et le jarret droit, étaient destinés à poursuivre les aurochs[6]. La robe noire des épagneuls luisait comme du satin; le jappement des talbots valait celui des bigles chanteurs[7]. Dans une cour à part, grondaient, en secouant leur chaîne et roulant leurs prunelles, huit dogues alains[8], bêtes formidables qui sautent au ventre des cavaliers et n'ont pas peur des lions.

Tous mangeaient du pain de froment, buvaient dans des auges de pierre et portaient un nom sonore.

La fauconnerie peut-être dépassait la meute; le bon seigneur, à force d'argent, s'était procuré des tiercelets[9] du Caucase, des sacres[10] de Babylone, des gerfauts[11] d'Allemagne, et des faucons-pèlerins[12], capturés sur les falaises, au bord des mers froides, en de lointains pays. Ils logeaient dans un hangar couvert de chaume, et, attachés par rang de taille sur le perchoir, avaient devant eux une motte de gazon, où de temps à autre on les posait afin de les dégourdir.

Des bourses[13], des hameçons, des chausses-trapes[14], toute sorte d'engins, furent confectionnés.

Souvent on menait dans la campagne des chiens d'oysel[15], qui tombaient bien vite en arrêt. Alors des piqueurs[16], s'avançant pas à pas, étendaient avec précaution sur leurs corps impassibles

1. *Curée* : distribution aux chiens de chasse des entrailles de la bête abattue. — 2. *Barbaresques* : de l'Afrique du Nord. — 3. *Véloces* : rapides. — 4. Toujours sûrs à la chasse. — 5. *Refuites* : ruses du gros gibier poursuivi. — 6. *Auroch* : sorte de bœuf sauvage, devenu très rare en Lithuanie, son dernier asile. — 7. *Bigles* : chiens d'origine anglaise pour chasser le lièvre et le lapin, en donnant de la voix. — 8. *Alains* : gros chiens introduits avec les invasions des Alains et des Suèves (vᵉ siècle). — 9. *Tiercelets* : mâles de l'autour et des oiseaux de proie, d'un tiers moins grands que la femelle. — 10. *Sacres* : grands oiseaux de proie analogues au faucon. — 11. *Gerfauts* : grands faucons. — 12. *Faucons pèlerins* : espèce la plus commune des oiseaux de proie de ce genre. — 13. *Bourse* : poche en réseau que l'on place à l'entrée du terrier dans la chasse au lapin avec le furet. — 14. *Chausse-trape* : piège à loup, à renard. — 15. *Chiens d'oysel* : chiens dressés pour chasser au filet, au panneau, les petits oiseaux. — 16. *Piqueurs* : valets de chasse qui règlent la course des chiens.

un immense filet. Un commandement les faisait aboyer; des cailles s'envolaient; et les dames des alentours conviées avec leurs maris, les enfants, les camérières[1], tout le monde se jetait dessus et les prenait facilement.

D'autres fois, pour débucher[2] les lièvres, on battait du tambour; des renards tombaient dans des fosses, ou bien un ressort, se débandant, attrapait un loup par le pied.

Mais Julien méprisa ces commodes artifices; il préférait chasser loin du monde, avec son cheval et son faucon. C'était presque toujours un grand tartaret[3] de Scythie, blanc comme la neige. Son capuchon[4] de cuir était surmonté d'un panache, des grelots d'or tremblaient à ses pieds bleus; et il se tenait ferme sur le bras de son maître pendant que le cheval galopait et que les plaines se déroulaient. Julien, dénouant ses longes[5], le lâchait tout à coup; la bête hardie montait droit dans l'air comme une flèche; et l'on voyait deux taches inégales tourner, se joindre, puis disparaître dans les hauteurs de l'azur. Le faucon ne tardait pas à descendre en déchirant quelque oiseau, et revenait se poser sur le gantelet, les deux ailes frémissantes.

Julien vola[6] de cette manière le héron, le milan, la corneille et le vautour.

Il aimait, en sonnant de la trompe, à suivre ses chiens qui couraient sur le versant des collines, sautaient les ruisseaux, remontaient vers le bois; et, quand le cerf commençait à gémir sous les morsures, il l'abattait prestement, puis se délectait à la furie des mâtins qui le dévoraient, coupé en pièces sur sa peau fumante[7].

Les jours de brume, il s'enfonçait dans un marais pour guetter les oies, les loutres[8] et les halbrans[9].

Trois écuyers, dès l'aube, l'attendaient au bas du perron; et le vieux moine, se penchant à sa lucarne, avait beau faire des signes pour le rappeler, Julien ne se retournait pas. Il allait à l'ardeur du soleil, sous la pluie, par la tempête, buvait l'eau des sources dans sa main, mangeait en trottant des pommes sauvages, s'il était fatigué se reposait sous un chêne; et il rentrait au milieu de la nuit, couvert de sang et de boue, avec des épines dans les cheveux et sentant l'odeur des bêtes farouches. Il devint comme elles.

1. *Camérières* : femmes de chambre ou chambrières. On dit plutôt caméristes. — 2. *Débucher* : faire sortir du bois, du taillis, surtout la grosse bête. — 3. *Tartaret* : autre variété de faucon. — 4. *Capuchon* : ou chaperon, dont on couvre les yeux des oiseaux chasseurs jusqu'à ce que commence la chasse. — 5. *Longe* : corde ou courroie qui maintient le capuchon. — 6. *Voler* : chasser au faucon le héron, etc. — 7. C'est l'acte final de la chasse au cerf, la curée. — 8. *Loutre* : petit mammifère aquatique, vivant de poissons et d'herbes. — 9. *Halbran* : ou hallebran, jeune canard sauvage.

Quand sa mère l'embrassait, il acceptait froidement son étreinte, paraissant rêver à des choses profondes.

Il tua des ours à coups de couteau, des taureaux avec la hache, des sangliers avec l'épieu[1]; et même une fois, n'ayant plus qu'un bâton, se défendit contre des loups qui rongeaient des cadavres au pied d'un gibet.

Un matin d'hiver, il partit avant le jour, bien équipé, une arbalète[2] sur l'épaule et un trousseau de flèches à l'arçon[3] de la selle.

Son genêt[4] danois, suivi de deux bassets, en marchant d'un pas égal, faisait résonner la terre. Des gouttes de verglas se collaient à son manteau, une brise violente soufflait. Un côté de l'horizon s'éclaircit; et, dans la blancheur du crépuscule, il aperçut des lapins sautillant au bord de leurs terriers. Les deux bassets[5], tout de suite, se précipitèrent sur eux; et, çà et là, vivement, leur brisaient l'échine.

Bientôt, il entra dans un bois. Au bout d'une branche, un coq de bruyère, engourdi par le froid dormait la tête sous l'aile. Julien, d'un revers d'épée, lui faucha les deux pattes, et, sans le ramasser, continua sa route.

Trois heures après, il se trouva sur la pointe d'une montagne tellement haute que le ciel semblait presque noir. Devant lui, un rocher pareil à un long mur s'abaissait, en surplombant un précipice; et, à l'extrémité, deux boucs sauvages regardaient l'abîme. Comme il n'avait pas ses flèches (car son cheval était resté en arrière), il imagina de descendre jusqu'à eux; à demi courbé, pieds nus, il arriva enfin au premier des boucs et lui enfonça un poignard sous les côtes. Le second, pris de terreur, sauta dans le vide. Julien s'élança pour le frapper, et, glissant du pied droit, tomba sur le cadavre de l'autre, la face au-dessus de l'abîme et les deux bras écartés.

Redescendu dans la plaine, il suivit des saules qui bordaient une rivière. Des grues, volant très bas, de temps à autre passaient au-dessus de sa tête. Julien les assommait avec son fouet et n'en manqua pas une.

Cependant l'air plus tiède avait fondu le givre[6], de larges vapeurs flottaient, et le soleil se montra. Il vit reluire tout au loin un lac

1. *Épieu* : pique à hampe très solide terminée par un fer plat, large et pointu. — 2. *Arbalète* : arc monté sur un fût de bois avec crosse. — 3. *Arçon* : partie cintrée de la selle devant et derrière. — 4. *Genêt* : race de petits chevaux originaire de l'Espagne. — 5. *Basset* : chien courant bas sur jambes qui se glisse dans les terriers. — 6. *Givre* : gelée blanche résultant de la congélation de la rosée ou de la vapeur du brouillard.

figé[1], qui ressemblait à du plomb. Au milieu du lac, il y avait une bête que Julien ne connaissait pas, un castor[2] à museau noir. Malgré la distance, une flèche l'abattit, et il fut chagrin de ne pouvoir emporter la peau.

Puis il s'avança dans une avenue de grands arbres, formant avec leurs cimes comme un grand arc de triomphe, à l'entrée d'une forêt. Un chevreuil bondit hors d'un fourré, un daim parut dans un carrefour, un blaireau[3] sortit d'un trou, un paon sur le gazon déploya sa queue; — et quand il les eut tous occis[4], d'autres chevreuils se présentèrent, d'autres daims, d'autres blaireaux, d'autres paons, et des merles, des geais[5], des putois[6], des renards, des hérissons, des lynx[7], une infinité de bêtes, à chaque pas plus nombreuses. Elles tournaient autour de lui, tremblantes, avec un regard plein de douceur et de supplication. Mais Julien ne se fatiguait pas de tuer, tour à tour bandant son arbalète, dégainant l'épée, pointant du coutelas, et ne pensant à rien, n'avait souvenir de quoi que ce fût. Il était en chasse dans un pays quelconque, depuis un temps indéterminé, par le fait seul de sa propre existence, tout s'accomplissant avec la facilité que l'on éprouve dans les rêves. Un spectacle extraordinaire l'arrêta. Des cerfs emplissaient un vallon ayant la forme d'un cirque; et tassés, les uns près des autres, ils se réchauffaient avec leurs haleines que l'on voyait fumer dans le brouillard.

L'espoir d'un pareil carnage, pendant quelques minutes, le suffoqua de plaisir. Puis il descendit de cheval, retroussa ses manches et se mit à tirer.

Au sifflement de la première flèche, tous les cerfs à la fois tournèrent la tête. Il se fit des enfonçures[8] dans leur masse; des voix plaintives s'élevaient, et un grand mouvement agita le troupeau.

Le rebord du vallon était trop haut pour le franchir[9]. Ils bondissaient dans l'enceinte, cherchant à s'échapper. Julien visait, tirait, et les flèches tombaient comme les rayons d'une pluie d'orage. Les cerfs rendus furieux se battirent, se cabraient, montaient les uns par-dessus les autres; et leurs corps avec leurs ramures emmêlées faisaient un large monticule, qui s'écroulait, en se déplaçant.

Enfin, ils moururent, couchés sur le sable, la bave aux naseaux,

1. *Figé* : gelé. — 2. *Castor* : rongeur habitant les rives des cours d'eau et construisant des digues et des cabanes. — 3. *Blaireau* : petit mammifère plantigrade, frugivore et carnassier. — 4. *Occis* : archaïsme, tué. — 5. *Geai* : oiseau au plumage varié, voisin par les habitudes du corbeau et de la pie. — 6. *Putois* : petit carnassier destructeur du gibier et de la volaille et répandant une odeur désagréable. — 7. *Lynx* : sorte de chat sauvage appelé vulgairement loup-cervier. — 8. *Enfonçures* : des vides, des creux. — 9. *Pour le franchir* : pour que les cerfs pussent le franchir.

les entrailles sorties, et l'ondulation de leurs ventres s'abaissant par degrés. Puis tout fut immobile.

La nuit allait venir; et derrière le bois, dans les intervalles des branches, le ciel était rouge comme une nappe de sang.

Julien s'adossa contre un arbre. Il contemplait d'un œil béant[1] l'énormité du massacre, ne comprenant pas comment il avait pu le faire.

De l'autre côté du vallon, sur le bord de la forêt, il aperçut un cerf, une biche et son faon[2].

Le cerf, qui était noir et monstrueux de taille, portait seize andouillers[3] avec une barbe blanche. La biche, blonde comme les feuilles mortes, broutait le gazon; et le faon tacheté, sans l'interrompre dans sa marche, lui tétait la mamelle.

L'arbalète encore une fois ronfla. Le faon, tout de suite, fut tué. Alors sa mère, en regardant le ciel, brama[4] d'une voix profonde, déchirante, humaine. Julien, exaspéré, d'un coup en plein poitrail, l'étendit par terre.

Le grand cerf avait vu, fit un bond. Julien lui envoya sa dernière flèche. Elle l'atteignit au front et y resta plantée.

Le grand cerf n'eut pas l'air de la sentir; en enjambant par-dessus les morts, il avançait toujours, allait fondre sur lui, l'éventrer; et Julien reculait dans une épouvante indicible. Le prodigieux animal s'arrêta; et les yeux flamboyants, solennel comme un patriarche[5] et comme un justicier, pendant qu'une cloche au loin tintait, il répéta trois fois :

" Maudit! maudit! maudit! Un jour, cœur féroce, tu assassineras ton père et ta mère! "

Il plia les genoux, ferma doucement ses paupières et mourut.

Julien fut stupéfait, puis accablé d'une fatigue soudaine; et un dégoût, une tristesse immense l'envahit. Le front dans les deux mains, il pleura pendant longtemps.

Son cheval était perdu; ses chiens l'avaient abandonné; la solitude qui l'enveloppait lui sembla toute menaçante de périls indéfinis. Alors, poussé par un effroi, il prit sa course à travers la campagne, choisit au hasard un sentier et se trouva presque immédiatement à la porte du château.

La nuit, il ne dormit pas. Sous le vacillement de la lampe suspendue, il revoyait toujours le grand cerf noir. Sa prédiction l'obsédait; il se débattait contre elle. " Non! non! non! je ne peux pas

1. *Béant* : ouvert tout grand; se dit ordinairement de la bouche pour exprimer la stupeur. — 2. *Faon* : petit d'un animal, ici de la biche. — 3. *Andouiller* : ramification dans le bois qui orne la tête du cerf. — 4. *Bramer* : se dit du cri particulier au cerf. — 5. *Patriarche* : chef de famille dans la Bible.

les tuer! » puis, il songeait : « Si je le voulais, pourtant?... » et il avait peur que le Diable ne lui en inspirât l'envie.

Durant trois mois, sa mère en angoisse pria au chevet[1] de son lit, et son père, en gémissant, marchait continuellement dans les couloirs. Il manda les maîtres mires[2] les plus fameux, lesquels ordonnèrent des quantités de drogues. Le mal de Julien, disaient-ils, avait pour cause un vent funeste ou un désir d'amour. Mais le jeune homme, à toutes les questions, secouait la tête.

Les forces lui revinrent, et on le promenait dans la cour, le vieux moine et le bon seigneur le soutenant chacun par un bras.

Quand il fut rétabli complètement, il s'obstina à ne point chasser.

Son père, le voulant réjouir, lui fit cadeau d'une grande épée sarrasine.

Elle était au haut d'un pilier, dans une panoplie[3]. Pour l'atteindre, il fallut une échelle. Julien y monta. L'épée trop lourde lui échappa des doigts, et, en tombant, frôla le bon seigneur de si près que sa houppelande[4] en fut coupée; Julien crut avoir tué son père et s'évanouit.

Dès lors, il redouta les armes. L'aspect d'un fer nu le faisait pâlir. Cette faiblesse était une désolation pour sa famille.

Enfin le vieux moine, au nom de Dieu, de l'honneur et des ancêtres, lui commanda de reprendre ses exercices de gentilhomme[5].

Les écuyers, tous les jours, s'amusaient au maniement de la javeline[6]. Julien y excella bien vite. Il envoyait la sienne dans le goulot des bouteilles, cassait les dents des girouettes[7], frappant à cent pas les clous des portes.

Un soir d'été, à l'heure où la brume rend les choses indistinctes, étant sous la treille du jardin, il aperçut tout au fond deux ailes blanches qui voletaient à la hauteur de l'espalier[8]. Il ne douta pas que ce ne fût une cigogne et il lança son javelot.

Un cri déchirant partit.

C'était sa mère, dont le bonnet à longues barbes restait cloué contre le mur.

Julien s'enfuit du château et ne reparut plus.

1. *Chevet* : partie du lit où repose la tête. — 2. *Maîtres mires* : archaïsme; médecins. — 3. *Panoplie* : écu sur lequel sont placées diverses armes. — 4. *Houppelande* : vêtement de dessus long et ouaté. — 5. L'équitation, l'escrime, la chasse, image de la guerre. — 6. *Javeline* : dard long et mince se lançant à la main. — 7. *Dents des girouettes* : découpures à l'extrémité de la banderole de fer ou de tôle mobile sur son pivot. — 8. *Espalier* : mur garni d'un treillage auquel sont fixées les branches des arbres fruitiers. — 9. *Barbes* : garnitures flottantes en dentelles du bas du bonnet.

II

Il s'engagea dans une troupe d'aventuriers qui passaient. Il connut la faim, la soif, les fièvres et la vermine. Il s'accoutuma au fracas des mêlées, à l'aspect des moribonds.

Le vent tanna sa peau. Ses membres se durcirent par le contact des armures; et comme il était très fort, courageux, tempérant, avisé, il obtint sans peine le commandement d'une compagnie.

Au début des batailles, il enlevait ses soldats d'un grand geste de son épée. Avec une corde à nœuds, il grimpait aux murs des citadelles, la nuit, balancé par l'ouragan, pendant que les flammèches du feu grégeois[1] se collaient à sa cuirasse, et que la résine bouillante et le plomb fondu ruisselaient des créneaux. Souvent le heurt d'une pierre fracassa son bouclier. Des ponts trop chargés d'hommes croulèrent sous lui. En tournant sa masse d'armes[2], il se débarrassa de quatorze cavaliers. Il défit, en champ clos[3], tous ceux qui se proposèrent. Plus de vingt fois, on le crut mort.

Grâce à la faveur divine, il en réchappa toujours; car il protégeait les gens d'église, les orphelins, les veuves, et principalement les vieillards. Quand il en voyait un marchant devant lui, il criait pour connaître sa figure, comme s'il avait eu peur de le tuer par méprise.

Des esclaves en fuite, des manants révoltés, des bâtards sans fortune, toutes sortes d'intrépides[4] affluèrent sous son drapeau, et il se composa une armée.

Elle grossit. Il devint fameux. On le recherchait.

Tour à tour, il secourut le Dauphin de France et le roi d'Angleterre, les templiers de Jérusalem[5], le suréna des Parthes[6], le négus[7] d'Abyssinie, et l'empereur de Calicut[8]. Il combattit des Scandinaves recouverts d'écailles de poisson, des Nègres munis de ron-

1. *Feu grégeois* : mélange de substances incendiaires que Byzantins et Sarrasins envoyaient sur l'ennemi à l'aide de lance-flammes. — 2. *Masse d'armes* : pesante arme de fer. — 3. *Champ clos* : lieu entouré de barrières dans lequel se vidaient les différends, les armes à la main. — 4. *Intrépides* : adjectif employé comme nom. — 5. Ordre religieux et militaire fondé à Jérusalem en 1118 pour protéger les pèlerins et défendre la Terre Sainte. — 6. *Suréna des Parthes* : nom qui désigne le commandant en chef des armées. Les Parthes sont les descendants des Médo-Perses. — 7. *Négus* : nom des empereurs d'Abyssinie ou Éthiopie. — 8. Ville et port de l'Inde anglaise.

daches[1] en cuir d'hippopotame et montés sur des ânes rouges, des Indiens couleur d'or et brandissant par-dessus leurs diadèmes de larges sabres, plus clairs que des miroirs. Il vainquit les Troglodytes[2] et les Anthropophages. Il traversa des régions si torrides que sous l'ardeur du soleil les chevelures s'allumaient d'elles-mêmes, comme des flambeaux; et d'autres qui étaient si glaciales, que les bras, se détachant du corps, tombaient par terre; et des pays où il y avait tant de brouillards que l'on marchait environné de fantômes.

Des républiques[3] en embarras le consultèrent. Aux entrevues d'ambassadeurs, il obtenait des conditions inespérées. Si un monarque se conduisait trop mal, il arrivait tout à coup et lui faisait des remontrances. Il affranchit des peuples. Il délivra des reines enfermées dans des tours. C'est lui, et pas un autre, qui assomma la guivre de Milan[4], et le dragon d'Oberbirbach[5].

Or, l'empereur d'Occitanie[6], ayant triomphé des Musulmans espagnols[7], s'était joint à la sœur du calife de Cordoue et il en conservait une fille, qu'il avait élevée chrétiennement. Mais le calife, faisant mine de vouloir se convertir, vint lui rendre visite, accompagné d'une escorte nombreuse, massacra toute sa garnison et le plongea dans un cul de basse-fosse[8], où il le traitait durement, afin d'en extirper[9] des trésors.

Julien accourut à son aide, détruisit l'armée des infidèles, assiégea la ville, tua le calife, coupa sa tête et la jeta comme une boule par-dessus les remparts. Puis il tira l'empereur de sa prison et le fit remonter sur son trône, en présence de toute sa cour.

L'empereur, pour un tel service, lui présenta dans des corbeilles beaucoup d'argent; Julien n'en voulut pas. Croyant qu'il en désirait davantage, il lui offrit les trois quarts de ses richesses, nouveau refus, puis de partager son royaume. Julien le remercia, et l'empereur en pleurait de dépit, ne sachant de quelle manière témoigner sa reconnaissance, quand il se frappa le front, dit un mot à l'oreille d'un courtisan; les rideaux d'une tapisserie se relevèrent, et une jeune fille parut.

1. *Rondaches* : grands boucliers de forme ronde. — 2. Peuple que les anciens plaçaient sur les bords du golfe arabique au sud-est de l'Égypte et qui passait pour habiter dans des souterrains. — 3. *Républiques* : États. — 4. *Guivre* de Milan : guivre ou givre désigne un serpent en termes de blason. — 5. *Dragon d'Oberbirbach* : animal fabuleux, comme le précédent. — 6. Ce terme désigne la France du sud-ouest. Les Espagnols en lutte contre les Maures ont été aidés par les barons français. — 7. En 756 Abdérame Ier, s'étant déclaré indépendant du califat de Bagdad, prit le titre de calife (c'est-à-dire vicaire de Mohammed) et fit de Cordoue sa capitale. — 8. *Cul de basse-fosse* : cachot souterrain creusé au plus profond de la fosse d'une prison. — 9. *Extirper* : employé ici pour *tirer*, *extorquer*; signifie proprement : arracher avec les racines.

Ses grands yeux noirs brillaient comme deux lampes très douces. Un sourire charmant écartait ses lèvres. Les anneaux de sa chevelure s'accrochaient aux pierreries de sa robe entr'ouverte. Elle était toute mignonne et potelée, avec la taille fine.

Julien fut ébloui d'amour.

Donc il reçut en mariage la fille de l'empereur, avec un château qu'elle tenait de sa mère; et, les noces étant terminées, on se quitta, après des politesses infinies de part et d'autre.

C'était un palais de marbre blanc, bâti à la moresque[1], sur un promontoire, dans un bois d'orangers. Des terrasses de fleurs descendaient jusqu'au bord d'un golfe, où des coquilles roses craquaient sous les pas. Derrière le château, s'étendait une forêt ayant le dessin d'un éventail. Le ciel continuellement était bleu, et les arbres se penchaient tour à tour sous la brise de la mer et le vent des montagnes, qui fermaient au loin l'horizon.

Les chambres, pleines de crépuscule, se trouvaient éclairées par les incrustations des murailles. De hautes colonnettes, minces comme des roseaux, supportaient la voûte des coupoles[2], décorées de reliefs imitant les stalactites[3] des grottes.

Il y avait des jets d'eau dans les salles, des mosaïques dans les cours, des cloisons festonnées[4], mille délicatesses d'architecture, et partout un tel silence que l'on entendait le frôlement d'une écharpe ou l'écho d'un soupir.

Julien ne faisait plus la guerre. Il se reposait, entouré d'un peuple tranquille; et chaque jour, une foule passait devant lui, avec des génuflexions et des baise-mains à l'orientale.

Vêtu de pourpre, il restait accoudé dans l'embrasure[5] d'une fenêtre, en se rappelant ses chasses d'autrefois; et il aurait voulu courir sur le désert après les gazelles et les autruches, être caché dans les bambous à l'affût des léopards, traverser des forêts pleines de rhinocéros, atteindre au sommet des monts les plus inaccessibles pour viser mieux les aigles, et sur les glaçons de la mer combattre les ours blancs.

Quelquefois, dans un rêve, il se voyait comme notre père Adam au milieu du Paradis, entre toutes les bêtes; en allongeant le bras, il les faisait mourir; ou bien, elles défilaient, deux à deux, par rang de taille, depuis les éléphants et les lions jusqu'aux hermines et aux canards, comme le jour qu'elles entrèrent dans

1. *A la moresque* : dans le goût de l'architecture importée en Espagne par les Arabes. — 2. *Coupole* : couverture d'une salle, généralement hémisphérique. — 3. *Stalactites* : concrétions pierreuses qui pendent de la voûte de certaines grottes. — 4. *Festonnées* : ornées d'une décoration de feuillages et de branchages enroulés et entrecroisés. — 5. *Embrasure* : la partie vide d'une ouverture, d'une baie.

l'arche de Noé. A l'ombre d'une caverne, il dardait sur elles des javelots infaillibles; il en survenait d'autres; cela n'en finissait pas et il se réveillait en roulant des yeux farouches.

Des princes de ses amis l'invitèrent à chasser. Il s'y refusa toujours, croyant, par cette sorte de pénitence, détourner son malheur; car il lui semblait que du meurtre des animaux dépendait le sort de ses parents. Mais il souffrait de ne pas les voir, et son autre envie devenait insupportable.

Sa femme, pour le récréer[1], fit venir des jongleurs[2] et des danseuses.

Elle se promenait avec lui, en litière ouverte, dans la campagne; d'autres fois, étendus sur le bord d'une chaloupe, ils regardaient les poissons vagabonder dans l'eau, claire comme le ciel. Souvent elle lui jetait des fleurs au visage; accroupie devant ses pieds, elle tirait des airs d'une mandoline à trois cordes; puis, lui posant sur l'épaule ses deux mains jointes, disait d'une voix timide :

“ Qu'avez-vous donc, cher seigneur? ”

Il ne répondait pas, ou éclatait en sanglots; enfin, un jour, il avoua son horrible pensée.

Elle la combattit, en raisonnant très bien : son père et sa mère probablement étaient morts; si jamais il les revoyait par quel hasard, dans quel but, arriverait-il à cette abomination? Donc, sa crainte n'avait pas de cause, et il devait se remettre à chasser.

Julien souriait en l'écoutant, mais ne se décidait pas à satisfaire son désir.

Un soir du mois d'août qu'ils étaient dans leur chambre, elle venait de se coucher et il s'agenouillait pour sa prière quand il entendit le jappement d'un renard, puis des pas légers sous la fenêtre; et il entrevit dans l'ombre comme des apparences d'animaux. La tentation était trop forte. Il décrocha son carquois[3].

Elle parut surprise.

“ C'est pour t'obéir! dit-il; au lever du soleil, je serai revenu. ”

Cependant elle redoutait une aventure funeste.

Il la rassura, puis sortit, étonné de l'inconséquence de son humeur.

Peu de temps après, un page vint annoncer que deux inconnus, à défaut du seigneur absent, réclamaient tout de suite la seigneuresse[4].

1. *Récréer* : distraire, ranimer par un spectacle agréable. — 2. *Jongleurs* : soit musiciens chantant ou récitant des vers, soit bateleurs faisant des tours de passe-passe. — 3. *Carquois* : étui à flèches. — 4. *Seigneuresse* : forme archaïque du féminin des noms en eur que l'on rencontre encore dans chasseresse, devineresse, pécheresse.

Et bientôt entrèrent dans la chambre un vieil homme et une vieille femme, courbés, poudreux, en habits de toile, et s'appuyant chacun sur un bâton.

Ils s'enhardirent et déclarèrent qu'ils apportaient à Julien des nouvelles de ses parents.

Elle se pencha pour les entendre.

Mais, s'étant concertés du regard, ils lui demandèrent s'il les aimait toujours, s'il parlait d'eux quelquefois.

" Oh oui! " dit-elle.

Alors, ils s'écrièrent :

" Eh bien! c'est nous! "

Et ils s'assirent, étant fort las et recrus de fatigue[1].

Rien n'assurait à la jeune femme que son époux fût leur fils.

Ils en donnèrent la preuve, en décrivant des signes particuliers qu'il avait sur la peau.

Elle sauta hors sa couche, appela son page, et on leur servit un repas.

Bien qu'ils eussent grand'faim, ils ne pouvaient guère manger; et elle observait à l'écart le tremblement de leurs mains osseuses, en prenant les gobelets.

Ils firent mille questions sur Julien. Elle répondait à chacune, mais eut soin de taire l'idée funèbre qui les concernait.

Ne le voyant pas revenir, ils étaient partis de leur château; et ils marchaient depuis plusieurs années, sur de vagues indications, sans perdre l'espoir. Il avait fallu tant d'argent au péage[2] des fleuves et dans les hôtelleries, pour les droits des princes et les exigences des voleurs, que le fond de leur bourse était vide et qu'ils mendiaient maintenant. Qu'importe, puisque bientôt ils embrasseraient leur fils? Ils exaltaient son bonheur d'avoir une femme aussi gentille et ne se lassaient point de la contempler et de la baiser.

La richesse de l'appartement les étonnait beaucoup; et le vieux ayant examiné les murs, demanda pourquoi s'y trouvait le blason[3] de l'empereur d'Occitanie.

Elle répliqua :

" C'est mon père! "

Alors il tressaillit, se rappelant la prédiction du Bohème, et la vieille songeait à la parole de l'Ermite. Sans doute la gloire de son fils n'était que l'aurore des splendeurs éternelles, et tous

1. *Recrus de fatigue* : épuisés, rendus. — 2. *Péage* : droit perçu au passage d'un chemin, d'un pont. — 3. *Blason* : ensemble des ornements et des signes peints sur un écu, qui distinguent les personnes et les familles nobles.

les deux restaient béants, sous la lumière du candélabre qui éclairait la table.

Ils avaient dû être très beaux dans leur jeunesse. La mère avait encore tous ses cheveux, dont les bandeaux fins, pareils à des plaques de neige, pendaient jusqu'au bas de ses joues; et le père, avec sa taille haute et sa grande barbe, ressemblait à une statue d'église.

La femme de Julien les engagea à ne pas l'attendre. Elle les coucha elle-même dans son lit, puis ferma la croisée; ils s'endormirent. Le jour allait paraître, et, derrière le vitrail, les petits oiseaux commençaient à chanter.

Julien avait traversé le parc et il marchait dans la forêt d'un pas nerveux, jouissant de la mollesse du gazon et de la douceur de l'air.

Les ombres des arbres s'étendaient sur la mousse. Quelquefois la lune faisait des taches blanches dans les clairières, et il hésitait à s'avancer, croyant apercevoir une flaque d'eau, ou bien la surface des mares tranquilles se confondait avec la couleur de l'herbe. C'était partout un grand silence, et il ne découvrait aucune des bêtes qui, peu de minutes auparavant, erraient à l'entour de son château.

Le bois s'épaissit, l'obscurité devint profonde. Des bouffées de vent chaud passaient, pleines de senteurs amollissantes. Il enfonçait dans des tas de feuilles mortes, et il s'appuya contre un chêne pour haleter[1] un peu.

Tout à coup, derrière son dos, bondit une masse plus noire, un sanglier. Julien n'eut que le temps de saisir son arc, et il s'en affligea comme d'un malheur.

Puis, étant sorti du bois, il aperçut un loup qui filait le long d'une haie.

Julien lui envoya une flèche. Le loup s'arrêta, tourna la tête pour le voir et reprit sa course. Il trottait en gardant toujours la même distance, s'arrêtait de temps à autre, et, sitôt qu'il était visé, recommençait à fuir.

Julien parcourut de cette manière une plaine interminable, puis des monticules de sable, et enfin il se trouva sur un plateau dominant un grand espace de pays. Des pierres plates étaient clairsemées entre des caveaux en ruines. On trébuchait sur des ossements de morts; de place en place, des croix vermoulues se penchaient d'un air lamentable. Mais des formes remuèrent dans l'ombre indécise des tombeaux, et il en surgit des hyènes, tout effarées, pantelantes[2]. En faisant claquer leurs ongles sur les dalles, elles

1. *Haleter* respirer avec précipitation pour reprendre haleine. — 2. *Pantelantes* : qui halètent convulsivement.

vinrent à lui et le flairaient avec un bâillement qui découvrait leurs gencives. Il dégaina son sabre. Elles partirent à la fois dans toutes les directions, et, continuant leur galop boiteux et précipité, se perdirent au loin sous un flot de poussière.

Une heure après, il rencontra dans un ravin un taureau furieux, les cornes en avant, et qui grattait le sable avec son pied. Julien lui pointa sa lance sous les fanons[1]. Elle éclata, comme si l'animal eût été de bronze; il ferma les yeux, attendant sa mort. Quand il les rouvrit, le taureau avait disparu.

Alors son âme s'affaissa de honte. Un pouvoir supérieur détruisait sa force; et, pour s'en retourner chez lui, il rentra dans la forêt.

Elle était embarrassée de lianes, et il les coupait avec son sabre quand une fouine glissa brusquement entre ses jambes, une panthère fit un bond par-dessus son épaule, un serpent monta en spirale autour d'un frêne.

Il y avait dans son feuillage un choucas[2] monstrueux, qui regardait Julien; et, çà et là, parurent entre les branches quantité de larges étincelles, comme si le firmament eût fait pleuvoir dans la forêt toutes ses étoiles. C'étaient des yeux d'animaux, des chats sauvages, des écureuils, des hiboux, des perroquets, des singes.

Julien darda contre eux ses flèches; les flèches, avec leurs plumes, se posaient sur les feuilles comme des papillons blancs. Il leur jeta des pierres; les pierres, sans rien toucher, retombaient. Il se maudit, aurait voulu se battre, hurla des imprécations, étouffait de rage.

Et tous les animaux qu'il avait poursuivis se représentèrent, faisant autour de lui un cercle étroit. Les uns étaient assis sur leur croupe, les autres dressés de toute leur taille. Il restait au milieu, glacé de terreur, incapable du moindre mouvement. Par un effort suprême de sa volonté, il fit un pas; ceux qui perchaient sur les arbres ouvrirent leurs ailes, ceux qui foulaient le sol déplacèrent leurs membres; et tous l'accompagnaient.

Les hyènes marchaient devant lui, le loup et le sanglier par derrière. Le taureau, à sa droite, balançait la tête; et, à sa gauche, le serpent ondulait dans les herbes, tandis que la panthère, bombant son dos, avançait à pas de velours et à grandes enjambées. Il allait le plus lentement possible pour ne pas les irriter, et il voyait sortir de la profondeur des buissons des porcs-épics, des renards, des vipères, des chacals et des ours.

Julien se mit à courir; ils coururent. Le serpent sifflait, les bêtes puantes[3] bavaient. Le sanglier lui frottait les talons avec

1. *Fanons* : plis de la peau pendant sous le cou des bœufs. — 2. *Choucas* : nom de plusieurs espèces de corbeaux. — 3. *Bêtes puantes* : terme de chasse désignant spécialement les renards, blaireaux, putois, fouines.

ses défenses; le loup, l'intérieur des mains avec les poils de son museau. Les singes le pinçaient en grimaçant, la fouine se roulait sur ses pieds. Un ours, d'un revers de patte, lui enleva son chapeau; et la panthère, dédaigneusement, laissa tomber une flèche qu'elle portait à sa gueule.

Une ironie perçait dans leurs allures sournoises. Tout en l observant du coin de leurs prunelles, ils semblaient méditer un plan de vengeance; et, assourdi par le bourdonnement des insectes, battu par des queues d'oiseau, suffoqué par des haleines, il marchait les bras tendus et les paupières closes comme un aveugle, sans même avoir la force de crier " Grâce! "

Le chant d'un coq vibra dans l'air. D'autres y répondirent; c'était le jour; et il reconnut, au delà des orangers, le faîte de son palais.

Puis, au bord d'un champ, il vit, à trois pas d'intervalle, des perdrix rouges qui voletaient dans les chaumes[1]. Il dégrafa son manteau et l'abattit sur elles comme un filet. Quand il les eut découvertes, il n'en trouva qu'une seule, et morte depuis longtemps, pourrie.

Cette déception l'exaspéra plus que toutes les autres. Sa soif de carnage le reprenait; les bêtes manquant, il aurait voulu massacrer des hommes.

Il gravit les trois terrasses, enfonça la porte d'un coup de poing; mais, au bas de l'escalier, le souvenir de sa chère femme détendit[2] son cœur. Elle dormait sans doute, et il allait la surprendre.

Ayant retiré sa sandales, il tourna doucement la serrure et entra.

Les vitraux garnis de plomb[3] obscurcissaient la pâleur de l'aube. Julien se prit les pieds dans des vêtements par terre; un peu plus loin, il heurta une crédence[4] encore chargée de vaisselle. " Sans doute, elle aura mangé ", se dit-il; et il avançait vers le lit, perdu dans les ténèbres au fond de la chambre. Quand il fut au bord, afin d'embrasser sa femme, il se pencha sur l'oreiller où les deux têtes reposaient l'une près de l'autre. Alors, il sentit contre sa bouche l'impression d'une barbe.

Il se recula, croyant devenir fou; mais il revint près du lit, et ses doigts, en palpant, rencontrèrent des cheveux qui étaient très longs. Pour se convaincre de son erreur, il repassa lentement

1. *Chaumes* : tiges des céréales restant sur le sol après la moisson. — 2. *Détendit* : comparaison avec la corde de l'arc, ici : adoucit. — 3. *Garnis de plomb* : lamelles qui sertissent les différents morceaux de verre colorié dont se compose un vitrail. — 4. *Crédence* : meuble à tablettes sur lequel on dépose plats, verres pour le service de la table.

sa main sur l'oreiller. C'était bien une barbe, cette fois, et un homme!

Éclatant d'une colère démesurée, il bondit sur eux à coups de poignard et il trépignait, écumait, avec des hurlements de bête fauve. Puis il s'arrêta. Les morts, percés au cœur, n'avaient pas même bougé. Il écoutait attentivement leurs deux râles presque égaux, et, à mesure qu'ils s'affaiblissaient, un autre, tout au loin, les continuait. Incertaine d'abord, cette voix plaintive, longuement poussée, se rapprochait, s'enfla, devint cruelle; et il reconnut, terrifié, le bramement du grand cerf noir.

Et comme il se retournait, il crut voir dans l'encadrure de la porte le fantôme de sa femme, une lumière à la main.

Le tapage du meurtre l'avait attirée. D'un large coup d'œil, elle comprit tout et, s'enfuyant d'horreur, laissa tomber son flambeau.

Il le ramassa.

Son père et sa mère étaient devant lui, étendus sur le dos avec un trou dans la poitrine; et leurs visages, d'une majestueuse douceur, avaient l'air de garder comme un secret éternel. Des éclaboussures et des flaques de sang s'étalaient au milieu de leur peau blanche, sur les draps du lit, par terre, le long d'un christ d'ivoire suspendu dans l'alcôve. Le reflet écarlate du vitrail, alors frappé par le soleil, éclairait ces taches rouges et en jetait de plus nombreuses dans tout l'appartement. Julien marcha vers les deux morts en se disant, en voulant croire, que cela n'était pas possible, qu'il s'était trompé, qu'il y a parfois des ressemblances inexplicables. Enfin, il se baissa légèrement pour voir de tout près le vieillard, et il aperçut, entre ses paupières mal fermées, une prunelle éteinte qui le brûla comme du feu. Puis il se porta de l'autre côté de la couche, occupé par l'autre corps, dont les cheveux blancs masquaient une partie de la figure. Julien lui passa les doigts sous ses bandeaux, leva sa tête; et il la regardait, en la tenant au bout de son bras roidi, pendant que de l'autre main il s'éclairait avec le flambeau. Des gouttes, suintant du matelas, tombaient une à une sur le plancher.

A la fin du jour, il se présenta devant sa femme et, d'une voix différente de la sienne[1], il lui commanda premièrement de ne pas lui répondre, de ne pas l'approcher, de ne plus même le regarder, et qu'elle eût à suivre, sous peine de damnation, tous ses ordres qui étaient irrévocables.

Les funérailles seraient faites selon les instructions qu'il avait laissées par écrit, sur un prie-Dieu, dans la chambre des morts.

1. Il s'efforçait de modifier son intonation par horreur de lui-même.

Il lui abandonnait son palais, ses vassaux[1], tous ses biens, sans même retenir les vêtements de son corps, et ses sandales, que l'on trouverait au haut de l'escalier.

Elle avait obéi à la volonté de Dieu, en occasionnant son crime, et devait prier pour son âme puisque désormais il n'existait plus.

On enterra les morts avec magnificence, dans l'église d'un monastère à trois journées du château. Un moine en cagoule[2] rabattue suivit le cortège, loin de tous les autres, sans que personne osât lui parler.

Il resta, pendant la messe, à plat ventre au milieu du portail, les bras en croix et le front dans la poussière.

Après l'ensevelissement, on le vit prendre le chemin qui menait aux montagnes. Il se retourna plusieurs fois et finit par disparaître.

1. *Vassaux* : possesseurs de fiefs relevant d'un seigneur suzerain. — 2. *Cagoule* : vêtement sans manches, couvrant tout le corps, avec des ouvertures pour les yeux et la bouche.

III

Il s'en alla, mendiant sa vie par le monde.

Il tendait sa main aux cavaliers sur les routes, avec des génuflexions s'approchait des moissonneurs, ou restait immobile devant la barrière des cours; et son visage était si triste que jamais on ne lui refusait l'aumône.

Par esprit d'humilité, il racontait son histoire; alors tous s'enfuyaient, en faisant des signes de croix. Dans les villages où il avait déjà passé, sitôt qu'il était reconnu, on fermait les portes, on lui criait des menaces, on lui jetait des pierres. Les plus charitables posaient une écuelle[1] sur le bord de leur fenêtre, puis fermaient l'auvent[2] pour ne pas l'apercevoir.

Repoussé de partout, il évita les hommes et il se nourrit de racines[3], de plantes, de fruits perdus et de coquillages qu'il cherchait le long des grèves.

Quelquefois, au tournant d'une côte, il voyait sous ses yeux une confusion de toits pressés, avec des flèches de pierre, des ponts, des tours, des rues noires s'entre-croisant, et d'où montait jusqu'à lui un bourdonnement continuel.

Le besoin de se mêler à l'existence des autres le faisait descendre à la ville. Mais l'air bestial des figures, le tapage des métiers, l'indifférence des propos glaçaient son cœur. Les jours de fête, quand le bourdon[4] des cathédrales mettait en joie dès l'aurore le peuple entier, il regardait les habitants sortir de leurs maisons, puis les danses sur les places, les fontaines de cervoise[5] dans les carrefours, les tentures de damas[6] devant le logis des princes, et le soir venu, par le vitrage des rez-de-chaussée, les longues tables de famille où des aïeux tenaient des petits enfants sur leurs genoux; des sanglots l'étouffaient, et il s'en retournait vers la campagne.

1. *Écuelle* : vase creux ou bol de bois de terre ou de métal. — 2. *Auvent* : ici le volet plein de la fenêtre. — 3. *Racines* : celles qui sont comestibles, telles que carottes, navets, betteraves, raves, salsifis. — 4. *Bourdon* : très grosse cloche au son grave et qui porte fort loin. — 5. *Cervoise* : ancien nom de la bière. — 6. *Damas* : étoffe de soie (et aussi de laine, de fil, ou de coton) dont le tissu présente des fleurs et des dessins, qui se fabriquait originairement à Damas en Syrie.

Il contemplait avec des élancements d'amour[1] les poulains dans les herbages, les oiseaux dans leurs nids, les insectes sur les fleurs; tous, à son approche, couraient plus loin, se cachaient effarés, s'envolaient bien vite.

Il rechercha les solitudes. Mais le vent apportait à son oreille comme des râles d'agonie; les larmes de la rosée tombant par terre lui rappelaient d'autres gouttes d'un poids plus lourd. Le soleil, tous les soirs, étalait du sang dans les nuages; et chaque nuit, en rêve, son parricide recommençait.

Il se fit un cilice[2] avec des pointes de fer. Il monta sur les deux genoux toutes les collines ayant une chapelle à leur sommet. Mais l'impitoyable pensée obscurcissait la splendeur des tabernacles[3], le torturait à travers les macérations[4] de la pénitence.

Il ne se révoltait pas contre Dieu qui lui avait infligé cette action, et pourtant se désespérait de l'avoir pu commettre.

Sa propre personne lui faisait tellement horreur qu'espérant s'en délivrer il l'aventura dans des périls. Il sauva des paralytiques des incendies, des enfants du fond des gouffres. L'abîme le rejetait, les flammes l'épargnaient.

Le temps n'apaisa pas sa souffrance. Elle devenait intolérable. Il résolut de mourir.

Et un jour qu'il se trouvait au bord d'une fontaine, comme il se penchait par-dessus pour juger de la profondeur de l'eau, il vit paraître en face de lui un vieillard tout décharné, à barbe blanche et d'un aspect si lamentable qu'il lui fut impossible de retenir ses pleurs. L'autre, aussi, pleurait. Sans reconnaître son image, Julien se rappelait confusément une figure ressemblant à celle-là. Il poussa un cri; c'était son père; et il ne pensa plus à se tuer.

Ainsi, portant le poids de son souvenir, il parcourut beaucoup de pays et il arriva près d'un fleuve dont la traversée était dangereuse, à cause de sa violence et parce qu'il y avait sur les rives une grande étendue de vase. Personne depuis longtemps n'osait plus le passer.

Une vieille barque, enfouie à l'arrière, dressait sa proue dans les roseaux. Julien en l'examinant découvrit une paire d'avirons; et l'idée lui vint d'employer son existence au service des autres.

Il commença par établir sur la berge[5] une manière de chaussée qui permettait de descendre jusqu'au chenal[6] et il se brisait les

1. *Élancements d'amour* : terme du langage mystique : désigne les mouvements de l'âme vers Dieu. — 2. *Cilice* : ceinture ou chemise de poil rude portée sur la peau par pénitence. — 3. *Tabernacles* : armoires de l'autel contenant dans le saint ciboire des hosties consacrées. — 4. *Macérations* : austérités de toutes sortes inspirées par un désir de pénitence. — 5. *Berge* : sommet d'une pente escarpée qui borde une rivière. — 6. *Chenal* : partie la plus profonde et navigable d'un cours d'eau.

ongles à remuer les pierres énormes, les appuyait contre son ventre pour les transporter, glissait dans la vase, y enfonçait, manqua périr plusieurs fois.

Ensuite, il répara le bateau avec des épaves de navires, et il se fit une cahute avec de la terre glaise et des troncs d'arbres.

Le passage étant connu, les voyageurs se présentèrent. Ils l'appelaient de l'autre bord, en agitant des drapeaux; Julien bien vite sautait dans sa barque. Elle était très lourde, et on la surchargeait par toutes sortes de bagages et de fardeaux, sans compter les bêtes de somme, qui, ruant de peur, augmentaient l'encombrement. Il ne demandait rien pour sa peine; quelques-uns lui donnaient des restes de victuailles qu'ils tiraient de leur bissac[1] ou les habits trop usés dont ils ne voulaient plus. Des brutaux vociféraient des blasphèmes. Julien les reprenait avec douceur, et ils ripostaient par des injures. Il se contentait de les bénir.

Une petite table, un escabeau, un lit de feuilles mortes et trois coupes d'argile, voilà tout ce qu'était son mobilier. Deux trous dans la muraille servaient de fenêtres. D'un côté, s'étendaient à perte de vue des plaines stériles ayant sur leur surface de pâles étangs çà et là; et le grand fleuve, devant lui, roulait ses flots verdâtres. Au printemps, la terre humide avait une odeur de pourriture. Puis, un vent désordonné soulevait la poussière en tourbillons. Elle entrait partout, embourbait l'eau, craquait sous les gencives. Un peu plus tard, c'était des nuages de moustiques, dont la susurration[2] et les piqûres ne s'arrêtaient ni jour ni nuit. Ensuite, survenaient d'atroces gelées qui donnaient aux choses la rigidité de la pierre et inspiraient un besoin fou de manger de la viande.

Des mois s'écoulaient sans que Julien vît personne. Souvent il fermait les yeux, tâchant, par la mémoire, de revenir dans sa jeunesse; — et la cour d'un château apparaissait, avec des lévriers[3] sur un perron, des valets dans la salle d'armes, et, sous un berceau de pampres, un adolescent à cheveux blonds entre un vieillard couvert de fourrures et une dame à grand hennin; tout à coup, les deux cadavres étaient là. Il se jetait à plat ventre sur son lit et répétait en pleurant :

" Ah! pauvre père! pauvre mère! pauvre mère! "

Et tombait dans un assoupissement où les visions funèbres continuaient.

1. *Bissac* : sac de toile, avec une fente au milieu et une poche à chaque extrémité. — 2. *Susurration* : bruit léger, murmure. — 3. *Lévriers* : chiens rapides aux formes élégantes employés à chasser le lièvre.

Une nuit qu'il dormait, il crut entendre quelqu'un l'appeler. Il tendit l'oreille et ne distingua que le mugissement des flots.

Mais la même voix reprit :

" Julien! "

Elle venait de l'autre bord, ce qui lui parut extraordinaire, vu la largeur du fleuve.

Une troisième fois on appela :

" Julien! "

Et cette voix haute avait l'intonation d'une cloche d'église.

Ayant allumé sa lanterne, il sortit de la cahute. Un ouragan furieux emplissait la nuit. Les ténèbres étaient profondes et çà et là déchirées par la blancheur des vagues qui bondissaient.

Après une minute d'hésitation, Julien dénoua l'amarre[1]. L'eau, tout de suite, devint tranquille, la barque glissa dessus et toucha l'autre berge, où un homme attendait.

Il était enveloppé d'une toile en lambeaux, la figure pareille à un masque de plâtre et les deux yeux plus rouges que des charbons. En approchant de lui la lanterne, Julien s'aperçut qu'une lèpre[2] hideuse le recouvrait; cependant il avait dans son attitude comme une majesté de roi.

Dès qu'il entra dans la barque, elle enfonça prodigieusement, écrasée par son poids; une secousse la remonta, et Julien se mit à ramer.

A chaque coup d'aviron, le ressac[3] des flots la soulevait par l'avant. L'eau, plus noire que de l'encre, courait avec furie des deux côtés du bordage. Elle creusait des abîmes, elle faisait des montagnes, et la chaloupe sautait dessus, puis redescendait dans des profondeurs où elle tournoyait, ballottée par le vent.

Julien penchait son corps, dépliait les bras, et, s'arc-boutant des pieds, se renversait avec une torsion de la taille, pour avoir plus de force. La grêle cinglait ses mains, la pluie coulait dans son dos, la violence de l'air l'étouffait, il s'arrêta. Alors le bateau fut emporté à la dérive. Mais, comprenant qu'il s'agissait d'une chose considérable, d'un ordre auquel il ne fallait pas désobéir, il reprit ses avirons; et le claquement des tolets[4] coupait la clameur de la tempête.

La petite lanterne brûlait devant lui. Des oiseaux, en voletant, la cachaient par intervalles. Mais toujours il apercevait les prunelles du Lépreux qui se tenait debout à l'arrière, immobile comme une colonne.

1. *Amarre* : câble qui attache l'embarcation au rivage. — 2. *Lèpre* : maladie produisant, en particulier sur la face, des gonflements rouges, livides, fauves, horribles à voir. — 3. *Ressac* : retour violent des vagues sur elles-mêmes. — 4. *Tolets* : chevilles en bois qui, enfoncées dans le plat-bord de la chaloupe, retiennent l'aviron.

Et cela dura longtemps, très longtemps.

Quand ils furent arrivés dans la cahute, Julien ferma la porte et il le vit siégeant sur l'escabeau. L'espèce de linceul qui le recouvrait était tombé jusqu'à ses hanches; et ses épaules, sa poitrine, ses bras maigres disparaissaient sous des plaques de pustules écailleuses. Des rides énormes labouraient son front. Tel qu'un squelette, il avait un trou à la place du nez, et ses lèvres bleuâtres dégageaient une haleine épaisse comme un brouillard et nauséabonde[1].

" J'ai faim ! " dit-il.

Julien lui donna ce qu'il possédait, un vieux quartier de lard et les croûtes d'un pain noir.

Quand il les eut dévorés, la table, l'écuelle, et le manche du couteau portaient les mêmes taches que l'on voyait sur son corps.

Ensuite, il dit : " J'ai soif! "

Julien alla chercher sa cruche; et, comme il la prenait, il en sortit un arôme qui dilata son cœur et ses narines. C'était du vin; quelle trouvaille! mais le Lépreux avança le bras et d'un trait vida toute la cruche.

Puis il dit : " J'ai froid! "

Julien, avec sa chandelle, enflamma un paquet de fougères, au milieu de la cabane.

Le Lépreux vint s'y chauffer; et, accroupi sur les talons, il tremblait de tous ses membres, s'affaiblissait; ses yeux ne brillaient plus, ses ulcères[2] coulaient, et, d'une voix presque éteinte, il murmura : " Ton lit! "

Julien l'aida doucement à s'y traîner et même étendit sur lui, pour le couvrir, la toile de son bateau.

Le Lépreux gémissait. Les coins de sa bouche découvraient ses dents, un râle[3] accéléré lui secouait la poitrine, et son ventre, à chacune de ses aspirations, se creusait jusqu'aux vertèbres. Puis il ferma les paupières.

" C'est comme de la glace dans mes os! Viens près de moi! "

Et Julien, écartant la toile, se coucha sur les feuilles mortes, près de lui, côte à côte.

Le Lépreux tourna la tête.

" Déshabille-toi, pour que j'aie la chaleur de ton corps! "

Julien ôta ses vêtements; puis, nu comme au jour de sa naissance, se replaça dans le lit; et il sentait contre sa cuisse la peau du Lépreux, plus froide qu'un serpent et rude comme une lime.

Il tâchait de l'encourager, et l'autre répondait, en haletant :

1. *Nauséabonde* : d'une très mauvaise odeur. — 2. *Ulcères* : lésions d'un tissu avec écoulement de pus. — 3. Respiration des moribonds.

“ Ah ! je vais mourir!... Rapproche-toi, réchauffe-moi! Pas avec les mains! non! toute ta personne. ”

Julien s'étala dessus complètement, bouche contre bouche, poitrine contre poitrine.

Alors le Lépreux l'étreignit; et ses yeux tout à coup prirent une clarté d'étoiles; ses cheveux s'allongèrent comme les rais[1] du soleil; le souffle de ses narines avait la douceur des roses; un nuage d'encens s'éleva du foyer, les flots chantaient. Cependant une abondance de délices, une joie surhumaine descendait comme une inondation dans l'âme de Julien pâmé; et celui dont les bras le serraient toujours grandissait, grandissait, touchant de sa tête et de ses pieds les deux murs de la cabane. Le toit s'envola, le firmament[2] se déployait; et Julien monta vers les espaces bleus, face à face avec Notre-Seigneur Jésus, qui l'emportait dans le ciel.

Et voilà l'histoire de saint Julien l'Hospitalier, telle à peu près qu'on la trouve, sur un vitrail d'église, dans mon pays.

1. *Rais* : vieilli : rayons. — 2. *Firmament* : la voûte céleste.

HÉRODIAS

Hérodias est le récit de la mort de saint Jean-Baptiste ou Iaokanann. Hérode Antipas le laisse mettre à mort pour complaire à sa belle-fille Salomé, qui lui a demandé sa tête, après une danse exécutée devant lui; pour faire sa cour à Vitellius, proconsul romain; en somme par faiblesse et par lâcheté. Il est un instrument aux mains de sa femme Hérodias.

Nous donnons le début du récit, le passage où, accompagnant le proconsul, Hérode Antipas parcourt les écuries de la citadelle, une partie du festin, enfin le dénouement.

I

La citadelle de Machærous[1] se dressait à l'orient de la mer Morte, sur un pic de basalte ayant la forme d'un cône. Quatre vallées profondes l'entouraient; deux vers les flancs, une en face, la quatrième au delà. Des maisons se tassaient contre sa base, dans le cercle d'un mur qui ondulait suivant les inégalités du terrain; et, par un chemin en zigzag tailladant le rocher, la ville se reliait à la forteresse, dont les murailles étaient hautes de cent vingt coudées[2], avec des angles nombreux, des créneaux sur le bord, et, çà et là, des tours qui faisaient comme des fleurons à cette couronne de pierres, suspendue au-dessus de l'abîme.

Il y avait dans l'intérieur un palais orné de portiques et couvert d'une terrasse que fermait une balustrade en bois de sycomore[3], où des mâts étaient disposés pour tendre un vélarium[4]. Un matin, avant le jour, le Tétrarque[5] Hérode-Antipas[6] vint s'y accouder et regarda.

1. *Machærous* : ou Machéro en Pérée, citadelle qui protège la Judée contre les nomades du désert d'Arabie; le gouvernement de la Pérée était confié au Tétrarque de Galilée. — 2. *Cent vingt coudées* : environ soixante mètres. — 3. *Sycomore* s: ou figuier d'Égypte dont le bois pasait pour incorruptible. — 4. *Vélarium* : sorte de voile que l'on tendait au-dessus des édifices sans toitures ou des terrasses. — 5. *Tétrarque* : chef d'un des quatre gouvernements (Galilée, Samarie, Judée, Pérée) en lesquels Rome démembra la Judée à la mort de son roi Hérode le Grand, an 2 après Jésus-Christ. — 6. Fils du précédent et Tétrarque de la Galilée; il s'était fait céder par son frère Hérode-Philippe sa femme Hérodias, qui était aussi sa nièce, union que lui reprocha avec véhémence saint Jean-Baptiste.

Les montagnes, immédiatement sous lui, commençaient à découvrir leurs crêtes, pendant que leur masse, jusqu'au fond des abîmes, était encore dans l'ombre. Un brouillard flottait, il se déchira, et les contours de la mer Morte apparurent. L'aube, qui se levait derrière Machærous, épandait une rougeur. Elle illumina bientôt les sables de la grève, les collines, le désert, et, plus loin, tous les monts de la Judée, inclinant leurs surfaces raboteuses et grises. Engaddi, au milieu, traçait une barre noire; Hébron, dans l'enfoncement, s'arrondissait en dôme; Esquol avait des grenadiers, Sorek des vignes, Karmel des champs de sésame[1]; et la tour Antonia, de son cube monstrueux, dominait Jérusalem. Le Tétrarque en détourna la vue pour contempler, à droite, les palmiers de Jéricho; et il songea aux autres villes de sa Galilée : Capharnaüm, Endor, Nazareth, Tibérias[2] où peut-être il ne reviendrait plus. Cependant le Jourdain coulait sur la plaine aride. Toute blanche, elle éblouissait comme une nappe de neige. Le lac, maintenant, semblait en lapis-lazuli; et à sa pointe méridionale, du côté de l'Yémen[3], Antipas reconnut ce qu'il craignait d'apercevoir. Des tentes brunes étaient dispersées; des hommes avec des lances circulaient entre les chevaux, et des feux s'éteignant brillaient comme des étincelles à ras du sol.

C'étaient les troupes du roi des Arabes, dont il avait répudié la fille[4] pour prendre Hérodias, mariée à l'un de ses frères qui vivait en Italie, sans prétentions au pouvoir.

Antipas attendait les secours des Romains; et Vitellius[5], gouverneur de la Syrie, tardant à paraître, il se rongeait d'inquiétudes.

Agrippa[6], sans doute, l'avait ruiné[7] chez l'Empereur[8] ? Philippe[9], son troisième frère, souverain de la Batanée, s'armait clandestinement. Les Juifs ne voulaient plus de ses mœurs idolâtres, tous les autres de sa domination; si bien qu'il hésitait entre deux projets : adoucir les Arabes ou conclure une alliance avec les Parthes[10]; et, sous le prétexte de fêter son anniversaire,

1. *Sésame* : plante dont la graine donne une huile excellente et une farine grossière. — 2. Ville fondée en 17 après Jésus-Christ au bord du lac de Génésareth par Hérode-Antipas en l'honneur de l'empereur Tibère. — 3. Région du Sud-Ouest de la péninsule arabique. — 4. Celle du roi arabe Arétas, qui, pour venger l'affront fait à sa fille, tailla en pièces l'armée d'Hérode-Antipas. — 5. *Lucius Vitellius* : gouverneur de la Syrie; le père d'Aulus Vitellius (15-70) le huitième empereur romain, célèbre par sa cruauté et sa gloutonnerie. — 6. Il s'agit ici d'Hérode Agrippa Ier, petit-fils d'Hérode le Grand et frère d'Hérodias. — 7. *L'avait ruiné* : l'avait perdu dans l'esprit de l'Empereur. — 8. *L'Empereur* : Tibère (14-37) le deuxième empereur romain. — 9. Hérode-Philippe, autre fils d'Hérode le Grand, fut tétrarque de la région du Liban (Batanée) et régna paisiblement 37 ans; il avait épousé Hérodias dont il eut Salomé. — 10. *Parthes* : les populations qui ont succédé en Asie occidentale aux Médo-Perses.

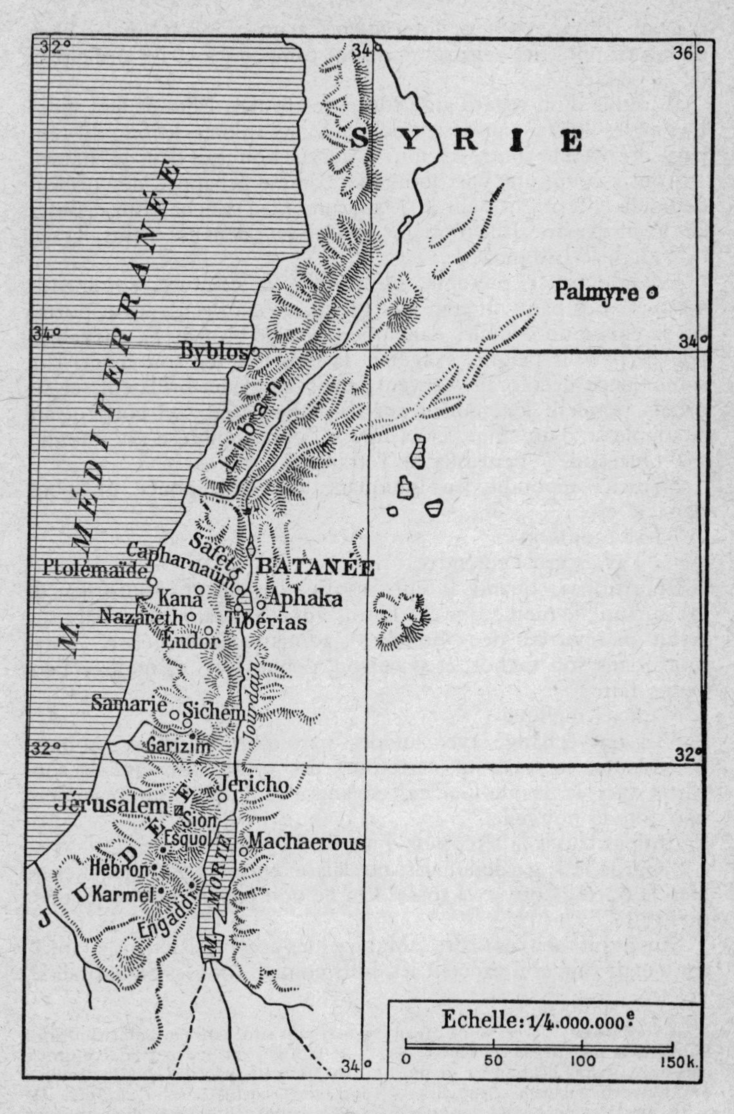

CARTE DE LA PALESTINE

il avait convié, pour ce jour même, à un grand festin les chefs de ses troupes, les régisseurs de ses campagnes et les principaux de la Galilée.

Il fouilla d'un regard aigu toutes les routes. Elles étaient vides. Des aigles volaient au-dessus de sa tête; les soldats, le long du rempart, dormaient contre les murs; rien ne bougeait dans le château.

Tout à coup, une voix lointaine, comme échappée des profondeurs de la terre, fit pâlir le Tétrarque. Il se pencha pour écouter, elle avait disparu. Elle reprit, et, en claquant dans ses mains, il cria :

" Mannaëi! Mannaëi! "

Un homme se présenta, nu jusqu'à la ceinture, comme les masseurs des bains. Il était très grand, vieux, décharné, et portait sur la cuisse un coutelas dans une gaine de bronze. Sa chevelure, relevée par un peigne, exagérait la longueur de son front. Une somnolence décolorait ses yeux, mais ses dents brillaient, et ses orteils posaient légèrement sur les dalles, tout son corps ayant la souplesse d'un singe, et sa figure l'impassibilité d'une momie.

" Où est-il? " demanda le Tétrarque.

Mannaëi répondit, en indiquant avec son pouce un objet derrière eux :

" Là! toujours!

— J'avais cru l'entendre! "

Et Antipas, quand il eut respiré largement, s'informa de Iaokanann[1], le même que les Latins appellent saint Jean-Baptiste. Avait-on revu ces deux hommes[2], admis par indulgence, l'autre mois, dans son cachot, et savait-on, depuis lors, ce qu'ils étaient venus faire?

Mannaëi répliqua :

" Ils ont échangé avec lui des paroles mystérieuses, comme les voleurs, le soir, aux carrefours des routes. Ensuite ils sont partis vers la Haute-Galilée, en annonçant qu'ils apporteraient une grande nouvelle. "

Antipas baissa la tête, puis d'un air d'épouvante :

" Garde-le ! garde-le! Et ne laisse entrer personne! Ferme bien la porte! Couvre la fosse! On ne doit pas même soupçonner qu'il vit! "

Sans avoir reçu ces ordres, Mannaëi les accomplissait; car Iaokanann était Juif, et il exécrait les Juifs comme tous les Samaritains[3].

1. *Iaokanann* : ou saint Jean-Baptiste, le précurseur du Christ. Sa naissance, sa prédication et sa mort sont rapportées dans les Évangiles. — 2. Ils appartenaient sans doute à la secte juive des Esséniens. — 3. Leur pays est situé entre la Galilée au Nord et la Judée au Sud, sur la rive droite du Jourdain; il avait formé le royaume d'Israël, hostile à celui de Juda. De là la haine politique et religieuse entre ces deux peuples de même origine.

Leur temple de Garizim[1], désigné par Moïse pour être le centre d'Israël, n'existait plus depuis le roi Hyrcan[2]; et celui de Jérusalem les mettait dans la fureur d'un outrage, et d'une injustice permanente. Mannaëi s'y était introduit, afin d'en souiller l'autel avec des os de morts. Ses compagnons, moins rapides, avaient été décapités.

Il l'aperçut dans l'écartement de deux collines. Le soleil faisait resplendir ses murailles de marbre blanc et les lames d'or de sa toiture. C'était comme une montagne lumineuse, quelque chose de surhumain, écrasant tout de son opulence et de son orgueil.

Alors il étendit les bras du côté de Sion[3]; et, la taille droite, le visage en arrière, les poings fermés, lui jeta un anathème[4], croyant que les mots avaient un pouvoir effectif.

Antipas écoutait, sans paraître scandalisé.

Le Samaritain dit encore :

" Par moments il s'agite, il voudrait fuir, il espère une délivrance. D'autres fois, il a l'air tranquille d'une bête malade; ou bien je le vois qui marche dans les ténèbres, en répétant : " Qu'importe? Pour qu'il grandisse, il faut que je diminue[5]! "

Antipas et Mannaëi se regardèrent. Mais le Tétrarque était las de réfléchir.

Tous ces monts autour de lui, comme des étages de grands flots pétrifiés, les gouffres noirs sur le flanc des falaises, l'immensité du ciel bleu, l'éclat violent du jour, la profondeur des abîmes le troublaient; et une désolation l'envahissait au spectacle du désert, qui figure, dans le bouleversement de ses terrains, des amphithéâtres et des palais abattus. Le vent chaud apportait, avec l'odeur du soufre, comme l'exhalaison des villes maudites[6], ensevelies plus bas que le rivage sous les eaux pesantes. Ces marques d'une colère immortelle effrayaient sa pensée, et il restait les deux coudes sur la balustrade, les yeux fixes et les tempes dans les mains.

[Hérodias, femme du Tétrarque, survient à ce moment, rappelle ses intrigues à Rome pour s'assurer la protection de Tibère, puis réclame la tête de son insulteur, Iaokanann. L'Essénien Phanuel tâche d'incliner Hérode à l'indulgence

1. Sur la montagne de ce nom avait été érigé par les Samaritains un sanctuaire, qu'ils opposaient au Temple de Jérusalem, le seul dans lequel, selon les Juifs, on pût rendre un culte à Dieu. — 2. Jean Hyrcan Ier (136-107 av. J.-C.), souverain pontife et chef des Juifs, s'empara de Samarie et en détruisit le temple. — 3. Une des quatre collines sur lesquelles Jérusalem était bâtie; désigne parfois la ville elle-même. — 4. *Anathème* : malédiction. — 5. *Qu'importe? Pour qu'Il grandisse... Il* désigne Jésus-Christ. Ces paroles sont relatées dans l'Évangile selon saint Jean chap. III, 27. — 6. *Villes maudites* : cinq villes, dont Sodome et Gomorrhe, furent détruites, au temps d'Abraham, par le feu du ciel à cause de l'impudicité de leurs habitants.

envers son prisonnier. C'est ici que se place l'arrivée du proconsul de Syrie Vitellius. Méfiant, avide, le Romain fait procéder à l'inventaire des richesses de Machærous, au cours duquel on visite les écuries.]

Un souffle d'air chaud s'exhala des ténèbres. Une allée descendait en tournant; ils la prirent et arrivèrent au seuil d'une grotte, plus étendue que les autres souterrains.

Une arcade s'ouvrait au fond sur le précipice, qui de ce côté-là défendait la citadelle. Un chèvrefeuille, se cramponnant à la voûte, laissait retomber ses fleurs en pleine lumière. Au ras du sol, un filet d'eau murmurait.

Des chevaux blancs étaient là, une centaine peut-être, et qui mangeaient de l'orge sur une planche au niveau de leur bouche. Ils avaient tous la crinière peinte en bleu, les sabots dans des mitaines de sparterie[1] et les poils d'entre les oreilles bouffant sur le frontal, comme une perruque. Avec leur queue très longue, ils se battaient mollement les jarrets. Le Proconsul en resta muet d'admiration.

C'étaient de merveilleuses bêtes, souples comme des serpents, légères comme des oiseaux. Elles partaient avec la flèche du cavalier, renversaient les hommes en les mordant au ventre[2], se tiraient de l'embarras des rochers, sautaient par-dessus des abîmes, et pendant tout un jour continuaient dans les plaines leur galop frénétique; un mot les arrêtait. Dès que Iaçim entra, elles vinrent à lui, comme des moutons quand paraît le berger; et, avançant leur encolure, elles le regardaient inquiètes avec leurs yeux d'enfant. Par habitude, il lança du fond de sa gorge un cri rauque qui les mit en gaieté; et elles se cabraient, affamées d'espace, demandant à courir.

Antipas, de peur que Vitellius ne les enlevât, les avait emprisonnées dans cet endroit, spécial pour les animaux, en cas de siège.

" L'écurie est mauvaise, dit le Proconsul, et tu risques de les perdre! Fais l'inventaire, Sisenna! "

Le publicain retira une tablette de sa ceinture, compta les chevaux et les inscrivit.

Les agents des compagnies fiscales corrompaient les gouverneurs pour piller les provinces. Celui-là flairait partout, avec sa mâchoire de fouine et ses paupières clignotantes.

Enfin, on remonta dans la cour.

Des rondelles de bronze au milieu des pavés, çà et là, cou-

1. *Mitaines en sparterie* : demi-gants faits avec les fibres de la graminée appelée sparte. — 2. Les chevaux de certaines peuplades d'Abyssinie sont dressés de la sorte. Cf. :

Ni le pacha du Caire et ses chevaux [numides
Qui mordaient le vôtre au poitrail.
Victor Hugo, *Napoléon II*.

vraient les citernes. Il en observa une plus grande que les autres, et qui n'avait pas sous les talons leur sonorité. Il les frappa toutes alternativement, puis hurla, en piétinant :

" Je l'ai! je l'ai! C'est ici le trésor d'Hérode! "

La recherche de ces trésors était une folie des Romains.

« Ils n'existaient pas », jura le Tétrarque.

Cependant, qu'y avait-il là-dessous?

" Rien! un homme, un prisonnier.

— Montre-le! " dit Vitellius.

Le Tétrarque n'obéit pas; les Juifs auraient connu son secret. Sa répugnance à ouvrir la rondelle impatientait Vitellius.

" Enfoncez-la! " cria-t-il aux licteurs.

Mannaëi avait deviné ce qui les occupait. Il crut, en voyant une hache, qu'on allait décapiter Iaokanann, et il arrêta le licteur au premier coup sur la plaque, insinua entre elle et les pavés une manière de crochet, puis, roidissant ses longs bras maigres, la souleva doucement, elle s'abattit; tous admirèrent la force de ce vieillard. Sous le couvercle doublé de bois, s'étendait une trappe de même dimension. D'un coup de poing, elle se replia en deux panneaux; on vit alors un trou, une fosse énorme que contournait un escalier sans rampe; et ceux qui se penchaient sur le bord aperçurent au fond quelque chose de vague et d'effrayant.

Un être humain était couché par terre, sous de longs cheveux se confondant avec les poils de bête qui garnissaient son dos. Il se leva. Son front touchait à une grille horizontalement scellée; et, de temps à autre, il disparaissait dans les profondeurs de son antre.

Le soleil faisait briller la pointe des tiares[1], le pommeau des glaives, chauffait à outrance les dalles; et des colombes, s'envolant des frises, tournoyaient au-dessus de la cour. C'était l'heure où Mannaëi ordinairement, leur jetait du grain. Il se tenait accroupi devant le Tétrarque, qui était debout près de Vitellius. Les Galiléens, les prêtres, les soldats, formaient un cercle par derrière; tous se taisaient, dans l'angoisse de ce qui allait arriver.

Ce fut d'abord un grand soupir, poussé d'une voix caverneuse.

Hérodias l'entendit à l'autre bout du palais. Vaincue par une fascination, elle traversa la foule, et elle écoutait, une main sur l'épaule de Mannaëi, le corps incliné.

La voix s'éleva :

" Malheur à vous[2], Pharisiens et Sadducéens, race de vipères, outres gonflées, cymbales retentissantes! "

1. *Tiares* : coiffures orientales de forme conique en usage autrefois chez les Perses et les Juifs. — 2. Les malédictions d'Iaokanann sont empruntées aux prophètes, tels qu'Isaïe, Jérémie et aux Évangiles. Le Christ emploie l'expression « race de vipères ».

On avait reconnu Iaokanann. Son nom circulait. D'autres accoururent.

" Malheur à toi, ô peuple! et aux traîtres de Juda[1], aux ivrognes d'Éphraïm[2], à ceux qui habitent la vallée grasse, et que les vapeurs du vin font chanceler!

" Il faudra, Moab[3], te réfugier dans les cyprès comme les passereaux, dans les cavernes comme les gerboises[4]. Les portes des forteresses seront plus vite brisées que des écailles de noix, les murs crouleront, les villes brûleront, et le fléau de l'Éternel ne s'arrêtera pas. Il retournera vos membres dans votre sang, comme de la laine dans la cuve d'un teinturier. Il vous déchirera comme une herse neuve; il répandra sur les montagnes tous les morceaux de votre chair! "

De quel conquérant parlait-il? Était-ce de Vitellius? Les Romains seuls pouvaient produire cette extermination. Des plaintes s'échappaient : " Assez! assez! qu'il finisse! "

Il continua, plus haut :

" Auprès du cadavre de leurs mères, les petits enfants se traîneront sur les cendres. On ira, la nuit, chercher son pain à travers les décombres, au hasard des épées. Les chacals s'arracheront des ossements sur les places publiques, où le soir les vieillards causaient. Tes vierges, en avalant leurs pleurs, joueront de la cithare[5] dans les festins de l'étranger, et tes fils les plus braves baisseront leur échine, écorchée par des fardeaux trop lourds! "

Le peuple revoyait les jours de son exil[6], toutes les catastrophes de son histoire. C'étaient des paroles des anciens prophètes[7]. Iaokanann les envoyait, comme de grands coups, l'une après l'autre.

Mais la voix se fit douce, harmonieuse, chantante. Il annonçait un affranchissement, des splendeurs au ciel, le nouveau-né un bras dans la caverne du dragon, l'or à la place de l'argile, le désert s'épanouissant comme une rose : " Ce qui maintenant vaut soixante kiccars[8] ne coûtera pas une obole[9]. Des fontaines de lait jailliront des rochers; on s'endormira dans les pressoirs le ventre plein! Quand viendras-tu, toi que j'espère? D'avance, tous les peuples s'agenouillent, et ta domination sera éternelle, Fils de David[10]! "

1. La principale des douze tribus. — 2. Une autre des douze tribus. Isaïe appelait ivrognes les gens d'Éphraïm. — 3. Peuplade arabe idolâtre, à l'Est de la mer Morte, issue de Moab, fils de Loth. — 4. *Gerboises* : sorte de rongeurs de la région syrienne. — 5. *Cithare* : instrument de musique à cordes que l'on fait résonner avec une sorte d'archet, le plectre. — 6. Il s'agit de la captivité de Babylone de 597 à 536 avant Jésus-Christ. — 7. *Prophètes* : hommes arrivant en Israël et en Juda pour parler au roi et aux prêtres au nom de l'Éternel et prêcher la justice et la piété sincère. — 8. *Kiccars* : pièces de monnaie. — 9. *Obole* : menue pièce de monnaie. — 10. *Fils de David* : annonce de la venue de Jésus-Christ.

[Iaokanann accable encore Hérodias de ses imprécations. Vitellius confie le prisonnier à sa propre garde, tandis qu'Antipas, pour se rassurer, demande une consultation astrologique à l'Essénien Phanuel.]

Les convives emplissaient la salle du festin.

Elle avait trois nefs, comme une basilique[1], et que séparaient des colonnes de bois d'algumin, avec des chapiteaux de bronze couverts de sculptures. Deux galeries à claire-voie s'appuyaient dessus; et une troisième en filigrane d'or[2] se bombait au fond, vis-à-vis d'un cintre énorme, qui s'ouvrait à l'autre bout.

Des candélabres, brûlant sur les tables alignées dans toute la longueur du vaisseau, faisaient des buissons de feux, entre les coupes de terre peinte et les plats de cuivre, les cubes de neige, les monceaux de raisin; mais ces clartés rouges se perdaient progressivement, à cause de la hauteur du plafond; et des points lumineux brillaient, comme des étoiles, la nuit, à travers des branches. Par l'ouverture de la grande baie, on apercevait des flambeaux sur les terrasses des maisons; car Antipas fêtait ses amis, son peuple, et tous ceux qui s'étaient présentés.

Des esclaves, alertes comme des chiens et les orteils dans des sandales de feutre, circulaient, en portant des plateaux.

La table proconsulaire occupait, sous la tribune dorée, une estrade en planches de sycomore. Des tapis de Babylone[3] l'enfermaient dans une espèce de pavillon.

Trois lits d'ivoire[4], un en face et deux sur les flancs, contenaient Vitellius, son fils et Antipas; le Proconsul étant près de la porte, à gauche, Aulus à droite, le Tétrarque au milieu.

Il avait un lourd manteau noir, dont la trame disparaissait sous des applications de couleur, du fard aux pommettes, la barbe en éventail, et de la poudre d'azur dans ses cheveux, serrés par un diadème de pierreries. Vitellius gardait son baudrier de pourpre, qui descendait en diagonale sur une toge de lin. Aulus

1. *Basilique* : édifice public à trois nefs, servant de tribunal et de bourse chez les Romains. — 2. *Filigrane d'or* : sorte de dentelle ou de treillage formé de fils d'or entrelacés. — 3. Les tapis assyriens étaient les tapis d'Orient les plus appréciés. — 4. Ce sont les lits de salle à manger.

s'était fait nouer dans le dos les manches de sa robe en soie violette, lamée d'argent. Les boudins de sa chevelure formaient des étages, et un collier de saphirs étincelait à sa poitrine, grasse et blanche comme celle d'une femme.

De ce côté, il y avait les prêtres et les officiers d'Antipas, des habitants de Jérusalem, les principaux des villes grecques; et, sous le Proconsul : Marcellus avec les publicains, des amis du Tétrarque, les personnages de Kana[1], Ptolémaïde[2], Jéricho; puis, pêle-mêle, des montagnards du Liban, et les vieux soldats d'Hérode : douze Thraces, un Gaulois, deux Germains, des chasseurs de gazelles, des pâtres de l'Idumée[3], le sultan de Palmyre[4], des marins d'Eziongaber[5]. Chacun avait devant soi une galette de pâte molle, pour s'essuyer les doigts; et les bras, s'allongeant comme des cous de vautour, prenaient des olives, des pistaches, des amandes. Toutes les figures étaient joyeuses, sous des couronnes de fleurs....

[La conversation, au cours du festin, porte sur la curiosité du Tétrarque au sujet de Jésus-Christ.]

Aulus n'avait pas fini de se faire vomir, qu'il voulut remanger.

" Qu'on me donne de la râpure de marbre, du schiste de Naxos[6], de l'eau de mer, n'importe quoi! Si je prenais un bain? "

Il croqua de la neige, puis ayant balancé entre une terrine de Commagène[7] et des merles roses, se décida pour des courges au miel.

On servit des rognons de taureau, des loirs, des rossignols, des hachis dans des feuilles de pampre; et les prêtres discutaient sur la résurrection. Ammonius[8], élève de Philon le Platonicien[9], les jugeait stupides, et le disait à des Grecs qui se moquaient des oracles. Marcellus et Jacob s'étaient joints. Le premier narrait au second le bonheur qu'il avait ressenti sous le baptême de Mithra[10], et Jacob l'engageait à suivre Jésus. Les vins de palme,

1. *Kana* ou *Cana* : ville de Galilée, lieu du premier miracle de Jésus. — 2. Ville de Syrie, aujourd'hui Saint-Jean d'Acre. — 3. Région de l'Arabie Pétrée entre la mer Morte et la mer Rouge. — 4. Au centre d'une oasis dans le désert entre Damas et l'Euphrate. — 5. Port de l'Arabie sur le golfe est de la mer Rouge, déjà utilisé par Salomon. — 6. Ile de l'archipel grec. — 7. Petite contrée de la Syrie vers l'Euphrate. — 8. Nom qui fut porté au IIIe siècle après Jésus-Christ par un philosophe alexandrin. — 9. Philosophe, surnommé le Platon juif, il vécut à Alexandrie entre 30 avant Jésus-Christ et 40 après. — 10. Dieu d'une secte perse adoré dans l'Empire romain à partir du Ier siècle après Jésus-Christ.

et de tamaris[1], ceux de Safet et de Byblos[2], coulaient des amphores[3] dans les cratères[4], des cratères dans les coupes, des coupes dans les gosiers; on bavardait, les cœurs s'épanchaient. Iaçim, bien que Juif, ne cachait plus son adoration des planètes. Un marchand d'Aphaka ébahissait des nomades, en détaillant les merveilles du temple d'Hiérapolis[5]; et ils demandaient combien coûterait le pèlerinage. D'autres tenaient à leur religion natale. Un Germain presque aveugle chantait un hymne célébrant ce promontoire de la Scandinavie, où les dieux apparaissent avec les rayons de leurs figures; et des gens de Sichem[6] ne mangèrent pas de tourterelles, par déférence pour la colombe Azima....

[Au cours de la discussion entre les convives juifs, les membres des diverses sectes reprochent au Tétrarque les crimes de sa famille. Le festin se termine par la danse de Salomé, fille du premier mari d'Hérodias; elle triomphe des hésitations d'Antipas et obtient la tête de Iaokanann.]

Un claquement de doigts se fit dans la tribune. Salomé y monta, reparut; et, en zézayant un peu, prononça ces mots, d'un air enfantin :

« Je veux que tu me donnes, dans un plat, la tête.... »

Elle avait oublié le nom, mais reprit en souriant :

« La tête de Iaokanann! »

Le Tétrarque s'affaissa sur lui-même, écrasé.

Il était contraint par sa parole, et le peuple attendait. Mais la mort qu'on lui avait prédite, en s'appliquant à un autre, peut-être détournerait la sienne? Si Ioakanann était véritablement Élie, il pourrait s'y soustraire; s'il ne l'était pas, le meurtre n'avait plus d'importance.

Mannaëi était à ses côtés, et comprit son intention.

Vitellius le rappela pour lui confier le mot d'ordre, des sentinelles gardant la fosse.

Ce fut un soulagement. Dans une minute, tout serait fini!

Cependant, Mannaëi n'était guère prompt en besogne.

Il rentra, mais bouleversé.

Depuis quarante ans, il exerçait la fonction de bourreau. C'était lui qui avait noyé Aristobule, étranglé Alexandre, brûlé

1. *Vin de palme et de tamaris* : boisson obtenue par la fermentation de la sève des dattiers à fruits non comestibles et des feuilles de tamaris. — 2. Crûs de la Phénicie. — 3. *Amphores* : grands vases de terre à deux anses faisant office de tonneaux. — 4. *Cratères* : grands vases à large orifice où se faisait le mélange de l'eau et du vin. — 5. Ville de Phrygie, non loin du Méandre, qui possédait un temple célèbre d'Apollon et de Diane. — 6. Ville de la Palestine, non loin de Samarie.

vif Matathias, décapité Zosime, Pappus, Joseph et Antipater[1]; et il n'osait tuer Iaokanann! Ses dents claquaient, tout son corps tremblait.

Il avait aperçu devant la fosse le Grand Ange[2] des Samaritains, tout couvert d'yeux et brandissant un immense glaive, rouge, et dentelé comme une flamme. Deux soldats amenés en témoignage pouvaient le dire.

Ils n'avaient rien vu, sauf un capitaine juif, qui s'était précipité sur eux, et qui n'existait plus.

La fureur d'Hérodias dégorgea en un torrent d'injures populacières et sanglantes. Elle se cassa les ongles au grillage de la tribune, et les deux lions sculptés semblaient mordre ses épaules et rugir comme elle.

Antipas l'imita, les prêtres, les soldats, les Pharisiens, tous réclamant une vengeance, et les autres, indignés qu'on retardât leur plaisir.

Mannaëi sortit, en se cachant la face.

Les convives trouvèrent le temps encore plus long que la première fois. On s'ennuyait.

Tout à coup, un bruit de pas se répercuta dans les couloirs. Le malaise devenait intolérable.

La tête entra; — et Mannaëi la tenait par les cheveux, au bout de son bras, fier des applaudissements.

Quand il l'eut mise sur un plat, il l'offrit à Salomé[3].

Elle monta lestement dans la tribune; plusieurs minutes après, la tête fut rapportée par cette vieille femme que le Tétrarque avait distinguée le matin sur la plate-forme d'une maison, et tantôt dans la chambre d'Hérodias.

Il se reculait pour ne pas la voir. Vitellius y jeta un regard indifférent.

Mannaëi descendit l'estrade et l'exhiba aux capitaines romains, puis à tous ceux qui mangeaient de ce côté.

Ils l'examinèrent.

La lame aiguë de l'instrument, glissant du haut en bas, avait entamé la mâchoire. Une convulsion tirait les coins de la bouche. Du sang, caillé déjà, parsemait la barbe. Les paupières closes

1. *Aristobule, Alexandre, Antipater* : ce sont trois fils d'Hérode le Grand, mis à mort sur l'ordre de leur père qui les accusait de conspirer. Les autres victimes sont des personnages éminents qui excitaient les soupçons du même Hérode. — 2. La croyance aux Archanges et aux Anges, génies protecteurs opposés aux démons malfaisants, était répandue en Israël. — 3. *Salomé* : la deuxième de ce nom dans cette famille; elle est la fille du premier mariage d'Hérodias avec Hérode-Philippe, elle est à la fois nièce et belle-fille d'Hérode Antipas. Hérodias était la nièce des deux frères, ses maris, étant petite fille d'Hérode le Grand.

étaient blêmes comme des coquilles; et les candélabres à l'entour envoyaient des rayons.

Elle arriva à la table des prêtres. Un Pharisien la retourna curieusement; et Mannaëi, l'ayant remise d'aplomb, la posa devant Aulus, qui en fut réveillé. Par l'ouverture de leurs cils, les prunelles mortes et les prunelles éteintes semblaient se dire quelque chose.

Ensuite Mannaëi la présenta à Antipas. Des pleurs coulèrent sur les joues du Tétrarque.

Les flambeaux s'éteignaient. Les convives partirent; et il ne resta plus dans la salle qu'Antipas, les mains contre ses tempes, et regardant toujours la tête coupée, tandis que Phanuel, debout au milieu de la grande nef, murmurait des prières, les bras étendus.

A l'instant où se levait le soleil, deux hommes, expédiés autrefois par Iaokanann, survinrent, avec la réponse si longtemps espérée.

Ils la confièrent à Phanuel, qui en eut un ravissement.

Puis il leur montra l'objet lugubre, sur le plateau, entre les débris du festin. Un des hommes lui dit :

" Console-toi! Il est descendu chez les morts annoncer le Christ! "

L'Essénien[1] comprenait maintenant ces paroles : " Pour qu'il croisse, il faut que je diminue. "

Et tous les trois, ayant pris la tête de Iaokanann, s'en allèrent du côté de la Galilée.

Comme elle était très lourde, ils la portèrent alternativement.

1. *L'Essénien* : Phanuel représente la secte des Esséniens, toute favorable à la nouvelle religion dont Iaokanann était le précurseur.

APPENDICE

DOCUMENTS

Vie de Saint Julien l'Hospitalier, tirée de Saint Antonin.

Un jour que Julien allait à la chasse, étant jeune homme et noble, il rencontra un cerf et se mit à le poursuivre.

Soudain, le cerf se retourna vers lui et dit :

" Pourquoi me poursuis-tu, toi qui seras meurtrier de ton père et de ta mère? "

A ces paroles, Julien fut frappé de stupeur. Et afin qu'il ne lui arrivât pas ce que le cerf lui avait prédit, il s'enfuit et abandonna tout. Il alla vers une région très lointaine, où il s'attacha au service d'un prince. Là, il se conduisit avec tant de vaillance à la guerre et au palais que le prince le fit chevalier et lui donna pour femme une noble veuve châtelaine, qui lui apporta son château en dot.

Cependant, les parents de Julien, éplorés d'amour pour leur fils, erraient, vagabonds, à sa recherche. Ils parvinrent enfin au château fort que commandait Julien. Mais Julien se trouvait absent. Sa femme les vit et leur demanda qui ils étaient. Et eux lui racontèrent ce qui était arrivé à leur fils et comment ils voyageaient pour le chercher. Alors elle comprit que c'étaient les parents de Julien, d'autant que son mari lui avait souvent dit les mêmes choses. Et elle les reçut avec honneur et elle leur donna sa propre couche pour s'y reposer, et se fit préparer un autre lit. Le matin venu, la châtelaine alla à l'église, laissant dormir dans son lit les parents de Julien, lassés. Cependant Julien, rentrant chez lui, et, pénétrant dans la chambre nuptiale afin de réveiller sa femme, y trouva ses parents qui dormaient. Mais il ne savait pas que c'étaient ses parents : et ayant soupçonné tout d'un coup que sa femme était couchée là avec un amant, il tira silencieusement son glaive et les égorgea tous deux.

Puis il sortit du château et rencontra sa femme qui revenait de l'église. Et il lui demanda qui étaient ces gens qu'il avait trouvés dans son lit. Elle lui dit que c'étaient ses parents qui très doucement le cherchaient et qu'elle avait avec grand honneur reçus dans sa propre chambre.

Alors Julien manqua de se pâmer et commença à pleurer très amèrement, disant : " Malheur à moi, qui viens d'égorger mes très doux parents! Que ferai-je? Voici qu'elle est accomplie la parole du cerf; et j'ai trouvé ici le crime dont la peur m'a fait fuir ma maison et ma patrie. Adieu donc, ma très douce sœur; car je ne prendrai plus de repos que je ne sache si Dieu a agréé mon repentir. "

Et la femme de Julien lui dit : " Oh! non, mon très doux frère, je ne t'abandonnerai pas; mais puisque j'ai pris ma part de tes joies, je prendrai ma part de tes douleurs et de ta pénitence. "

Ils quittèrent le pays. Près d'un grand fleuve très périlleux à traverser, ils construisirent un grand hôpital. Et là ils restèrent leur temps de pénitence, et ils servaient de passeurs à ceux qui voulaient traverser le fleuve, et ils donnaient l'hospitalité aux pauvres.

Et beaucoup de temps après, une nuit que Julien, lassé, reposait (la gelée dehors était intense), il entendit une voix qui pleurait et se lamentait et criait : " Julien! Fais-moi passer le fleuve! " Julien, réveillé, se leva et trouva un homme qui déjà défaillait de froid. Il le porta dans sa maison, alluma du feu pour le réchauffer, et le fit coucher dans son lit, sous ses propres couvertures. Et un peu après, celui qui avait paru d'abord si faible et comme lépreux devint rayonnant et s'éleva vers le ciel. Et il dit à son hôte :

" Julien, le Seigneur m'a envoyé vers toi pour te montrer qu'il a accepté ta pénitence (c'était un ange du Seigneur), et dans peu de temps vous reposerez tous deux dans le Seigneur ".

Et ainsi il disparut.

Et peu de temps après, Julien et sa femme, pleins d'aumônes et de bonnes œuvres, rendirent leurs âmes au Seigneur.

Cité par Marcel Schwob, *Spicilège.*

Commentaire de E.-H. Langlois sur un vitrail de la cathédrale de Rouen.

Ce saint, sur les lieux de la naissance et de la mort duquel les légendaires ont gardé le silence, sortait de parents illustres qui l'élevèrent dans les exercices convenables à sa condition relevée; aimant dans sa jeunesse passionnément la chasse, un jour qu'il poursuivait un cerf qu'il était prêt d'atteindre et de mettre à mort, l'animal se tournant vers son persécuteur, lui cria d'une voix terrible : " Tu me poursuis, toi, qui tueras ton père et ta mère. " Frappé d'horreur et voulant éviter l'accomplissement de cette épouvantable prophétie, le chasseur à l'instant même se bannit pour jamais du manoir paternel, et se retire en secret dans une contrée lointaine, vers un certain prince (fig. 7) qui, bientôt appréciant ses grandes qualités lui confie le commandement de sa gendarmerie (fig. 10) et lui fait obtenir une jeune veuve, châtelaine de la plus haute extraction (fig. 11).

Dans ces entrefaites, le père et la mère de Julien inconsolables de sa perte entreprennent sa recherche (fig. 14) et le sort, après beaucoup de peines et de fatigues, les conduit à leur insu, dans le château de ce fils bien-aimé absent alors. Cependant la châtelaine (fig. 15) reçoit avec bienveillance ces vénérables voyageurs, s'informe de leur condition, et les reconnaissant à leur discours pour les parents de son mari, joint aux plus tendres égards la respectueuse attention de les faire reposer dans leur propre lit. Ramené par sa fatale étoile, Julien revient chez lui vers le point du jour (fig. 18); sans s'informer de ce qui s'y est passé pendant son absence, il monte dans son appartement pour embrasser son épouse et s'approche doucement de la couche nuptiale à peine éclairée par la lueur incertaine du crépuscule.... O douleur! ô cruelle méprise! Il se croit trahi par un criminel adultère. Transporté de fureur il ne délibère pas, tire sa funeste épée et fait, sans rompre le silence[1], passer de leur paisible sommeil à celui de l'éternité les déplorables auteurs de ses jours. Aussitôt, désespéré, l'âme égarée, il s'enfuit avec horreur de sa propre demeure, dont à peine il a franchi le seuil que sa chaste et douce épouse, revenant de la messe de l'aurore, se présente devant lui la sérénité sur le front (fig. 16). A cette apparition inattendue, les yeux de Julien sont dessillés; dans son trouble, dans son affreuse inquiétude, il demande en frémissant le nom de ceux qu'il a surpris dans son lit, et la réponse qu'il reçoit achève de lui déchirer le cœur. " Dieu tout puissant, s'écrie-t-il, mes affreux destins sont donc accomplis! Adieu, ma chère sœur[2], ajoute-t-il, en embrassant tendrement son épouse après l'avoir instruite de son malheur, adieu, vivez heureuse, oubliez un misérable qui va dans le fond d'un désert s'imposer une pénitence dont il ne pourra proportionner la rigueur à l'énormité de son crime, mais qui peut-être lui en obtiendra le pardon et la miséricorde infinie. — Ah! mon frère, répond la châtelaine fondant en larmes, pouvez-vous méconnaître à ce point le cœur de votre épouse; pouvez-vous la croire capable de vous abandonner lâchement sous le poids de vos maux? Oh non, non jamais! Eh bien, renoncez au monde, partezsi vous le voulez; mais après avoir partagé vos plaisirs je m'attache à vos pas pour partager vos peines[1]. "

Voilà donc les tristes époux en route (fig. 19). Au bout de quelques jours ils atteignirent un lieu sauvage où coule une grande rivière célèbre par le nombre des victimes de son onde perfide. C'est là que Julien se consacre en qualité de simple passager à la sûreté des voyageurs et des pélerins; c'est là que bientôt s'élève sur le rivage un petit hôpital où nuit et jour le charitable couple prodigue les plus tendres soins à l'humanité souffrante (fig. 20).

Au bout de quelques années écoulées de la sorte, dans le fort d'un rigoureux hiver et vers le milieu de la nuit, les deux époux entendirent la voix lamentable d'un homme qui, de la rive opposée, les appelait en gémissant (fig. 22). Dans cet instant une effroyable tempête semblait confondre les éléments et les vents furieux bouleversaient les flots du fleuve qui rugissait au sein des plus noires ténèbres. Que fera Julien? doit-il s'exposer pour un inconnu, pour un brigand peut-être, à une mort certaine? Il ne balance point cependant, et sa femme elle-même approuve son généreux dévouement. Le saint batelier se couvre à la hâte de ses vêtements (fig. 24) s'élance dans sa barque, et luttant avec succès contre les vents et les vagues, guidé par le fanal que tient sont épouse restée sur le rivage (fig. 26) il accueille et conduit chez lui le pauvre étranger (fig. 25). De quel pénible spectacle est témoin alors le couple hospitalier! L'inconnu, hideux rebut de la nature et de la société, est couvert d'une lèpre vive qui révolte horriblement l'odorat et la vue, et les membres glacés de ce malheureux ne peuvent recouvrer par l'impression du feu le plus ardent le mouvement et la vie; déjà son cœur ne bat plus; c'en est fait, il va mourir.... O sainte, ô ingénieuse pitié! Que font les deux époux? S'aveuglant sur le terrible danger auquel ils s'exposent, ils étendent au milieu d'eux, dans leur propre lit, leur affreux hôte et se pressent à ses côtés pour lui communiquer leur chaleur naturelle; enfin ils le voient avec transport revenir à la vie, et bientôt le sommeil et la paix planent sur la couche vénérable. Généreux martyrs de la charité, quel beau jour va luire sur vos têtes! Déjà ses premiers rayons pénètrent dans votre sainte et secourable demeure, et vous éveillant l'un et l'autre vous cherchez, saisis d'étonnement et de crainte, à reconnaître la misérable malade dans l'être surnaturel qui, resplendissant de lumière et de majesté, se montre à vos yeux éblouis. Mortels bienfaits, n'en doutez point, vous le voyez encore, cet objet de votre héroïque pitié, mais dans Jésus lui-même dont la voix vous console,

LA PARTIE INFÉRIEURE DU VITRAIL DE LA CATHÉDRALE DE ROUEN.
D'après une planche de Mlle Espérance Langlois (B. N.).

PARTIE SUPÉRIEURE DU VITRAIL DE LA CATHÉDRALE DE ROUEN.
D'après une planche de Mlle Espéranee Langlois (B. N.).

dont la main vous bénit (fig. 27). C'est ton sauveur, ô Julien, qui, touché de tes longues douleurs, vient essuyer tes larmes, t'apporter le pardon de ton crime et t'annoncer que tu dois ainsi que ta vertueuse épouse, embrasser dans le séjour de la gloire éternelle tes bons et malheureux parents.

Aussitôt le divin fils de Marie disparut, et peu de temps après, ses vertueux hôtes s'endormant de la mort des justes, purent chercher dans son sein le bonheur dont ses paroles leur avaient donné l'assurance (fig. 31).

Saint Julien l'Hospitalier est un des bienheureux auxquels furent consacrées jadis les chapelles de la cathédrale, et l'examen des figures représentées dans les n°s 1, 2 et 3 de cette verrière, nous le fait, ainsi que le poisson placé dans l'angle de la bordure, regarder comme un don fait à cette église, dans le XIIIe siècle, par les Bateliers-Pêcheurs ou les Marchands-Poissonniers de Rouen. Nous hésitons d'autant moins à faire cet honneur à l'une ou l'autre de ces corporations, dont les attributs nous paraissent clairement exprimés, que dans les cartouches inférieures de la vitre voisine représentant la vie de Joseph, on remarque des tondeurs de draps tenant leurs forces à la main, et une grande figure de cet instrument, emblème irrécusable de la profession des donateurs.

E.-H. LANGLOIS.

Mémoire sur la peinture sur verre et quelques vitraux remarquables des églises de Rouen (1823).

QUESTIONS SUR LES CONTES

Un Cœur Simple. — **1.** Comment Flaubert a-t-il fait choix des traits les plus caractéristiques de la maison? — **2.** Comment a-t-il présenté le personnage de Félicité? — **3.** Par quels moyens est mise en valeur la simplicité de la servante? — **4.** Relever les passages à l'aide desquels Flaubert peint la vie provinciale de l'époque. — **5.** Quels traits évoquent particulièrement la Normandie? — **6.** Quel est l'intérêt dramatique de l'épisode dans la prairie? — **7.** Étudier le genre de vie qu'on menait en ce temps au bord de la mer. — **8.** Étudier la gradation des sentiments affectueux éprouvés par Félicité. — **9.** Quel est le caractère des sentiments religieux de cette humble femme? — **10.** Connaissez-vous d'autres passages où Flaubert ait traité des scènes de piété analogues? — **11.** Quel élément l'apparition du neveu apporte-t-il dans la vie de Félicité? — **12.** Comment la maîtresse répond-elle aux sentiments que lui témoigne la servante ? — **13.** Comment l'intelligence fruste de Félicité se représente-t-elle les pays lointains ? — **14.** Dans quelle intention Flaubert juxtapose-t-il le récit de la mort de Virginie à celui de la mort de Victor? — **15.** Montrer le faible retentissement des grands événements du temps sur ces existences provinciales. — **16.** Le réalisme de Flaubert n'a-t-il pas pour conséquence d'associer intimement les traits admirables de dévouement et les traits d'enfantillage? — **17.** Étudier la place que prend le perroquet dans le cœur de Félicité. — **18.** Comment cet oiseau, vivant et mort, accapare-t-il toute l'affection de la servante? — **19.** Par quelles habiletés Flaubert a-t-il réussi à introduire une variété relative dans le récit? — **20.** Flaubert fait de Félicité une victime du sort : Quelle conception de la vie humaine traduit-il par là ? — **21.** Qu'est-ce qui, dans l'aménagement de la chambre de Félicité, dénote la simplicité d'esprit de la servante ? — **22.** Montrer que le rythme de l'agonie de Félicité se règle sur celui du défilé de la procession? — **23.** Quelle progression l'écrivain a-t-il suivie? — **24.** Quelles qualités et quels caractères reconnaissez-vous au réalisme de Flaubert? Cherchez les passages caractéristiques. — **25.** La misanthropie de l'écrivain n'apparaît-elle pas à certains endroits? — Comment se trahit-elle? — **26.** Le style vous paraît-il toujours approprié au sujet? Quelles remarques vous suggère-t-il?

La Légende de Saint Julien. — **1.** De quels éléments est constituée la description du château féodal? — **2.** Comment le père et la mère sont-ils représentés? — **3.** Étudier, au cours du récit, l'emploi du merveilleux. — **4.** Relever les traits concernant l'éducation du jeune gentilhomme. — **5.** Quels sont les traits essentiels du caractère de Julien? —

6. Relever les premières manifestations de la cruauté. — **7.** Pourquoi Flaubert emploie-t-il de nombreux termes de vénerie ? Cet emploi vous paraît-il heureux ? — **8.** Par quels moyens Flaubert rend-il vraisemblable le grand massacre opéré par Julien? — **9.** Montrer la progression de la cruauté chez Julien. — **10.** Indiquer la composition de la grande chasse. — **11.** Étudier le paysage dans lequel elle se déroule. — **12.** La couleur, le mouvement, l'action dans ce passage. — **13.** Connaissez-vous, dans des légendes locales, des récits analogues? — **14.** Comment Flaubert peint-il l'obsession du meurtre. — **15.** A quel mobile Flaubert a-t-il obéi en racontant ces accidents qui faillirent être mortels? — **16.** La peinture des chevaliers errants. Quels rapprochements peut-on faire avec les Chansons de Geste et les récits épiques modernes? — **17.** Ne trouve-t-on pas ici une trace du rêve oriental de Flaubert? — Quelles autres œuvres traduisent également ce rêve? — **18.** Ne voyez-vous pas une sorte de fatalité qui pousse Julien au parricide? — **19.** Le pathétique de l'arrivée des parents. — **20.** Quelle différence y a-t-il entre cette chasse et la chasse précédente? — **21.** Julien peut-il être reconnu responsable d'un crime imposé par le destin? — **22.** Par quelles mortifications Julien expie-t-il son crime? — **23.** Étudier le dernier tableau : progression, pathétique, emploi du dialogue, mouvement, couleur. — **24.** Connaissez-vous des récits de miracles analogues? — **25.** Montrer la simplification et la stylisation des personnages. — **26.** La technique du vitrail n'a-t-elle pas influencé le récit de Flaubert?

Hérodias. — **1.** Comment est faite la description de la citadelle de Machærous? — **2.** Quelles sont les origines du goût de Flaubert pour l'Orient? — **3.** Quels sont les traits principaux du caractère d'Antipas? — **4.** Comment Flaubert a-t-il représenté les divers partis et sectes de la Judée? — **5.** Comment le personnage de Iaokannan est-il introduit dans le récit ? — **6.** L'attitude du prophète envers les puissants. — **7.** Quel est l'effet produit par la venue des Romains chez les princes protégés? — **8.** Quelle est la politique des Romains vis-à-vis des Juifs? — **9.** Montrer l'avidité et la méfiance des Romains dans l'inspection de la citadelle. — **10.** Définir l'attitude d'Antipas au cours de la visite des Romains. — **11.** Quel est le rôle de la foule dans Hérodias? — **12.** Quels sont les éléments qui entrent dans l'orientalisme de Flaubert? — **13.** Comment est préparée l'apparition de Salomé? — **14.** Sur quels sujets portent les conversations au cours du festin? — **15.** Comment les personnages principaux se comportent-ils? — **16.** Étudier la couleur locale dans la description du banquet. — **17.** Quelle est l'habileté de Flaubert dans le dénouement? — **18.** La richesse du vocabulaire : quelles en sont les principales caractéristiques? — **19.** L'impersonnalité de Flaubert dans ce drame. — **20.** Dans quelle mesure ce récit combine-t-il le romantisme et le réalisme? — **21.** La couleur, le mouvement, l'action dans *Hérodias*.

QUESTIONS GÉNÉRALES

1. Quelle place attribuez-vous à Flaubert parmi les conteurs ses contemporains? — **2.** Comment Flaubert vous paraît-il avoir conçu et réalisé le conte? — **3.** Quels autres conteurs connaissez-vous dans la littérature française au XIXe siècle? — **4.** Quelles qualités différentes ou opposées demandent le conte et le roman? — **5.** Quelle est la part d'invention propre chez Flaubert? — **6.** Trouvez-vous dans les Trois Contes la haine habituelle de Flaubert pour la civilisation contemporaine? — **7.** Que pensez-vous de sa misanthropie? — **8.** Comment chez Flaubert l'amour de l'art tempère-t-il son mépris pour l'humanité? — Et quelles sont les raisons de ce mépris? — **9.** Quel est le personnage des Contes que vous préférez? — **10.** Flaubert a-t-il négligé dans les Contes certains aspectts de la vie humaine? — **11.** Le goût du pittoresque et de la couleur n'a-t-il pas fait tort à la connaissance des âmes ? — **12.** En comparant les Contes aux autres œuvres de Flaubert, constatez-vous des progrès et sur quels points?

SUJETS DE COMPOSITIONS FRANÇAISES

I. — SUJETS DONNÉS AU BACCALAURÉAT

Quel est, parmi les grands romanciers du XIXe siècle (Balzac, George Sand, Flaubert), celui que vous préférez ? Vous donnerez les raisons de votre préférence.

Aix-Marseille, juin 1932.

Commentez ces lignes de Flaubert (1853) : " Le lyrisme en France est une faculté toute nouvelle. Je crois que l'éducation des Jésuites (c'est-à-dire : les humanités classiques) a fait un mal considérable aux lettres. Ils ont enlevé de l'Art la nature. Depuis la fin du XVIe siècle jusqu'à Hugo, tous les livres, quelque beaux qu'ils soient, sentent la poussière du collège. " Montrez qu'en effet le romantisme a choisi ses sujets, ses sentiments, ses modèles, le plus souvent en dehors de la tradition classique.

Alger, octobre 1933.

Flaubert a écrit aux de Goncourt (3 juillet 1860) :
" J'aime l'histoire follement. Les morts m'agréent plus que les vivants. D'où vient cette séduction du passé ? Cet amour-là est, du reste, une chose toute nouvelle dans l'humanité. Le sens historique date d'hier et c'est peut-être ce que le XIXe siècle a de meilleur. "
Commentez ce passage.

Sénégal, juin 1932.

II. — SUJETS A PROPOSER

Vous supposerez que, dans une lettre à George Sand, Flaubert expose les raisons qui le déterminent à écrire les *Trois Contes*.

En vous appuyant sur l'étude de *Salammbô* et d'*Hérodias*, tâchez de déterminer les différences et les analogies entre la nouvelle et le roman.

Flaubert a-t-il, dans ses trois récits, appliqué sa doctrine favorite ainsi résumée par lui : " L'artiste ne doit pas plus apparaître dans son œuvre que Dieu dans la nature; l'homme n'est rien, l'œuvre, tout? "

Dans un passage de la *Correspondance*, Flaubert s'est flatté de ne "s'arrêter qu'aux généralités les plus grandes, de s'être détourné exprès de l'accidentel et du dramatique ". A-t-il respecté ce principe?

Déterminer dans quelle mesure le choix d'un sujet ou légendaire (*Saint Julien l'Hospitalier*), ou historique (*Hérodias*) apporte de l'éclat et de la poésie dans un art réaliste.

Parmi les *Trois Contes*, quel est celui que vo us préférez? Donnez les raisons de votre préférence ?

Étudiez et appréciez l'art de la description chez Flaubert dans les *Trois Contes*.

Dans la représentation de l'Orient par les écrivains français du XIXe siècle, qu'est-ce que Flaubert vous paraît avoir introduit de nouveau?

Préférez-vous chez Flaubert le récit réaliste ou le récit historique et légendaire ? Indiquez vos raisons.

Parmi les écrivains qui, au XIXe siècle, ont célébré les mérites des humbles, quelle vous paraît être la place de Flaubert?

N'avez-vous jamais éprouvé l'attrait de l'Orient? Dans quelle mesure Flaubert est-il capable de vous le faire pressentir?

En vous inspirant d'*Un Cœur Simple*, racontez une vie de dévo uement analogue à celle de Félicité.

Dans une lettre à un ami (ou une amie), vous faites part des réflexions que vous suggère la conduite de Mme Aubain à l'égard de Félicité.

Le plaisir de la chasse ne vous paraît-il pas de nature à favoriser nos instincts de cruauté?

Qu'avez-vous admiré surtout dans *Hérodias* : les paysages, les caractères, le drame?

TABLE DES MATIÈRES

Imprimé en France par BRODARD-TAUPIN, Imprimeur-Relieur, Coulommiers-Paris.
62197-XIII-10-2067 — Dépôt légal : n° 2641. 4e trim. 1964. — 1er dépôt en 1935.